초등 수학 전문가가 만든 연산 교재

원리셈

6

1학년

(두 자리 수)±(한 자리 수)

교과 과정 완벽 대비
수학 전문가가 만든 연산 교재
다양한 형태의 문제로 재미있게 연습하는 원리셈

지은이의 말

수학은 원리로부터

수학은 구체물의 관계를 숫자와 기호의 약속으로 나타내는 추상적인 학문입니다. 이 점이 아이들이 수학을 어려워하는 가장 큰 이유입니다. 이러한 수학은 제대로 된 이해를 동반할 때 비로소 힘을 발휘할 수 있습니다. 수학은 어느 단계에서나 원리가 가장 중요합니다.

수학 교육의 변화

답을 내는 방법만 알아도 되는 수학 교육의 시대는 지나고 있습니다. 연산도 한 가지 방법만 반복 연습하기 보다 다양한 풀이 방법이 중요합니다. 교과서는 왜 그렇게 해야 하는지 가르쳐 주고 다양한 방법을 생각하도록 하지만, 학생들은 단순하게 반복되는 연습에 원리는 잊어버리고 기계적으로 답을 내다보니 응용된 내용의 이해가 부족합니다.

연산 학습은 꾸준히

유초등 학습 단계에 따라 4권~6권의 구성으로 매일 10분씩 꾸준히 공부할 수 있습니다. 원리와 다양한 방법의 학습은 그림과 함께 재미있게, 연습은 다양하게 진행하되 마무리는 집중하여 진행하도록 했습니다. 부담 없는 하루 학습량으로 꾸준히 공부하다 보면 어느새 연산 실력이 부쩍 늘어난 것을 알 수 있습니다.

개정판 원리셈은

동영상 강의 확대/초등 고학년 원리 학습 과정 강화 등으로 교과 과정을 완벽하게 대비할 수 있도록 원리와 개념, 계산 방법을 학습합니다. 단계별 원리 학습은 물론이고 연습도 강화했습니다.

학부모님들의 연산 학습에 대한 고민이 원리셈으로 해결되었으면 하는 바람입니다.

지은이 천종현

원리셈의 특징

원리셈의 학습 구성

한 권의 책은 매일 10분 / 매주 5일 / 6주 학습

원리셈의 시나브로 강해지는 학습 알고리즘

초등 원리셈은

시작은 원리의 이해로부터, 마무리는 충분한 연습과 성취도 확인까지

체계적인 학습 구성

쉽게 이해하고 스스로 공부!
실수가 많은 부분은 별도로 확인하고 연습!
주제에 따라 실전을 위한 확장적 사고가 필요한 내용까지!
원리로 시작되는 단계별 학습으로 곱셈구구마저 저절로 외워진다고 느끼도록!

원리셈 전체 단계

키즈 원리셈

5·6 세	
1권	5까지의 수
2권	10까지의 수
3권	10까지의 수 세어 쓰기
4권	모아 세기
5권	빼어 세기
6권	크기 비교와 여러 가지 세기

6·7 세	
1권	10까지의 더하기 빼기 1
2권	10까지의 더하기 빼기 2
3권	10까지의 더하기 빼기 3
4권	20까지의 더하기 빼기 1
5권	20까지의 더하기 빼기 2
6권	20까지의 더하기 빼기 3

7·8 세	
1권	7까지의 모으기와 가르기
2권	9까지의 모으기와 가르기
3권	덧셈과 뺄셈
4권	10 가르기와 모으기
5권	10 만들어 더하기
6권	10 만들어 빼기

초등 원리셈

1학년	
1권	받아올림/내림 없는 두 자리 수 덧셈, 뺄셈
2권	덧셈구구
3권	뺄셈구구
4권	□ 구하기
5권	세 수의 덧셈과 뺄셈
6권	(두 자리 수)±(한 자리 수)

2학년	
1권	두 자리 수 덧셈
2권	두 자리 수 뺄셈
3권	세 수의 덧셈과 뺄셈
4권	곱셈
5권	곱셈구구
6권	나눗셈

3학년	
1권	세 자리 수의 덧셈과 뺄셈
2권	(두/세 자리 수)×(한 자리 수)
3권	(두/세 자리 수)×(두 자리 수)
4권	(두/세 자리 수)÷(한 자리 수)
5권	곱셈과 나눗셈의 관계
6권	분수

4학년	
1권	큰 수의 곱셈
2권	큰 수의 나눗셈
3권	분모가 같은 분수의 덧셈과 뺄셈
4권	소수의 덧셈과 뺄셈

5학년	
1권	혼합 계산
2권	약수와 배수
3권	분모가 다른 분수의 덧셈과 뺄셈
4권	분수와 소수의 곱셈

6학년	
1권	분수의 나눗셈
2권	소수의 나눗셈
3권	비와 비율
4권	비례식과 비례배분

초등 원리셈의 단계별 학습 목표

원리와 연습을 모두 잡는 원리셈!!

학년별 학습 목표와 다른 책에서는 만나기 힘든 특별한 내용을 확인해 보세요.

1학년 원리셈

모든 연산 과정 중 실수가 가장 많은 덧셈, 뺄셈의 집중 연습
여러 가지 계산 방법 알기
덧셈, 뺄셈의 관계를 이용한 '□ 구하기'의 이해

2학년 원리셈

두 자리 덧셈, 뺄셈의 여러 가지 계산 방법의 숙지와 이해
곱셈 개념을 폭넓게 이해하고, 곱셈구구를 힘들지 않게 외울 수 있는 구성
나눗셈은 3학년 교과의 내용이지만 곱셈구구를 외우는 것을 도우면서 곱셈구구의 범위에서 개념 위주 학습

3학년 원리셈

기본 연산은 정확한 이해와 충분한 연습
곱셈, 나눗셈의 관계를 이용한 '□ 구하기'의 이해
분수는 학생들이 어려워 하는 부분을 중점적으로 이해하고, 연습하도록 구성

4학년 원리셈

작은 수의 곱셈, 나눗셈 방법을 확장하여 이해하는 큰 수의 곱셈, 나눗셈
교과서에는 나오지 않는 실전적 연산을 포함
많이 틀리는 내용은 별도 집중학습

5학년 원리셈

연산은 개념과 유형에 따라 단계적으로 학습 후 충분한 연습
약수와 배수는 기본기를 단단하게 할 수 있는 체계적인 구성

6학년 원리셈

분수와 소수의 나눗셈은 원리를 단순화하여 이해
비의 개념을 확장하여 문장제 문제 등에서 만나는 비례 관계의 이해와 적용
비와 비례식은 중등 수학을 대비하는 의미도 포함. 강추 교재!!

1학년 구성과 특징

1권은 받아올림, 받아내림 없는 두 자리 덧셈, 뺄셈을 공부하고, 2권~5권은 한 자리 덧셈, 뺄셈의 체계적 연습으로 세 수의 덧셈, 뺄셈과 □ 구하기를 포함합니다. 6권에서 두 자리와 한 자리의 덧셈, 뺄셈으로 확장하여 공부합니다.

원리

수 모형, 동전 등을 이용하여 원리를 직관적으로 이해하고 쉽게 공부할 수 있도록 하였습니다.

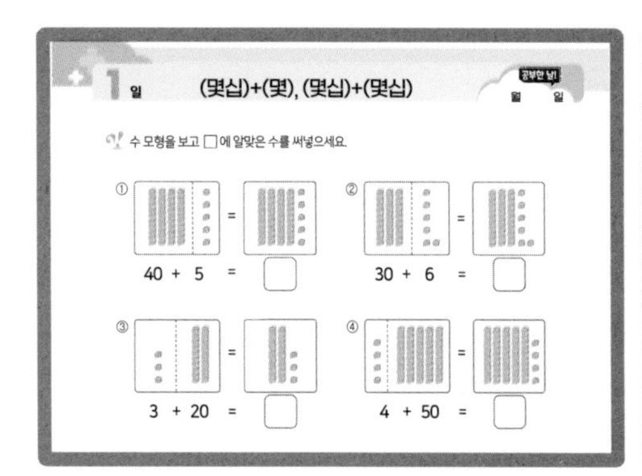

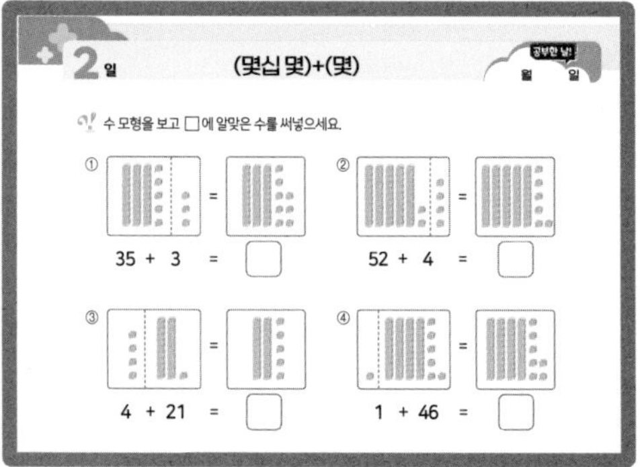

다양한 계산 방법

다양한 계산 방법을 공부함으로써 수를 다루는 감각을 키우고, 상황에 따라 더 정확하고 빠른 계산을 할 수 있도록 하였습니다.

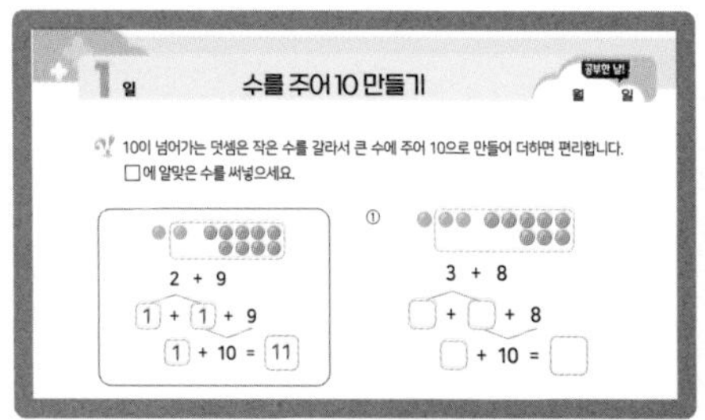

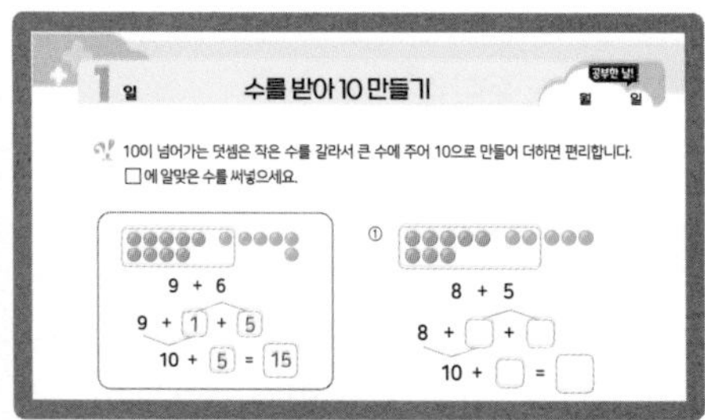

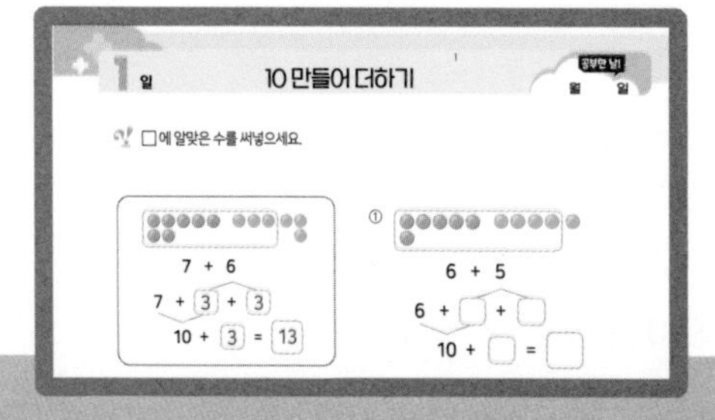

연습

기본 연습 문제를 중심으로 여러 형태의 문제로 지루하지 않게 반복하여 연습할 수 있도록 구성하였습니다.

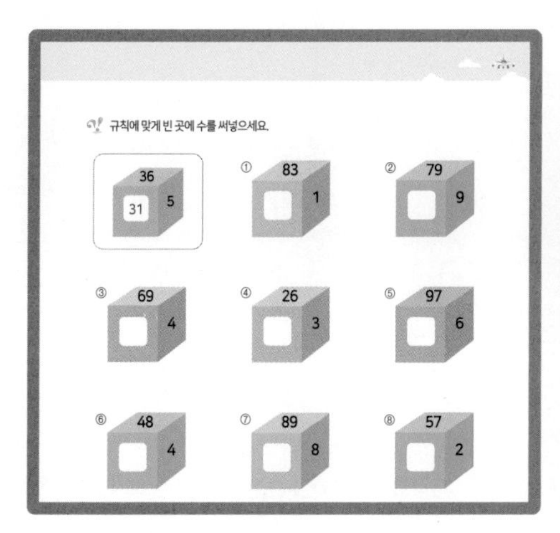

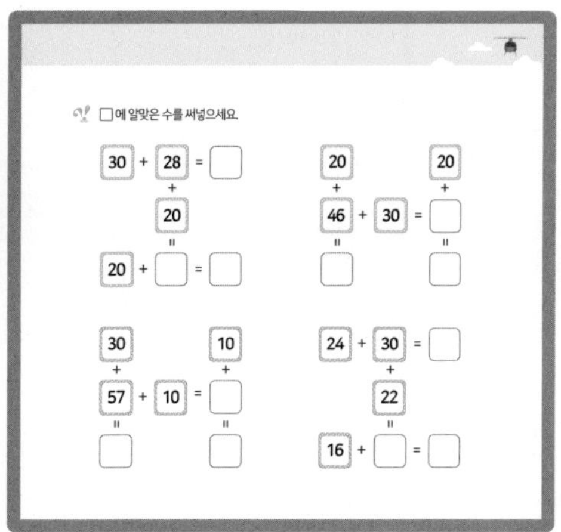

도전! 계산왕

주제가 구분되는 두 개의 단원은 정확성과 빠른 계산을 위한 집중 연습으로 주제를 마무리 합니다.

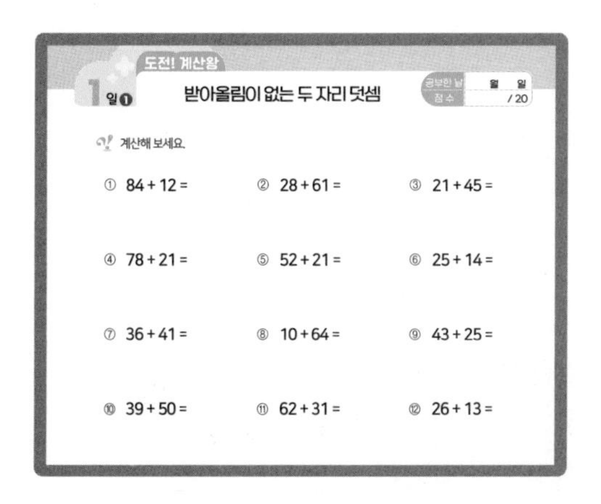

성취도 평가

개념의 이해와 연산의 수행에 부족한 부분은 없는지 성취도 평가를 통해 확인합니다.

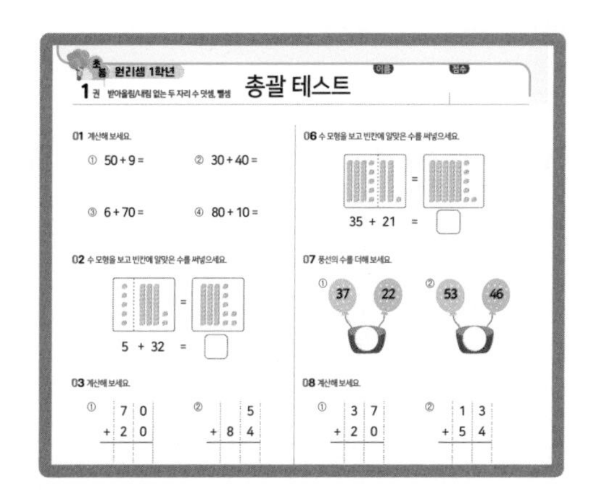

책의 사이사이에 학생의 학습을 돕기 위한 저자의 내용을 잘 이용하세요.

단원의 학습 내용과 방향

한 주차가 시작되는 쪽의 아래에 그 단원의 학습 내용과 어떤 방향으로 공부하는지를 설명해 놓았습니다.
학부모님이나 학생이 단원을 시작하기 전에 가볍게 읽어 보고 공부하도록 해 주세요.

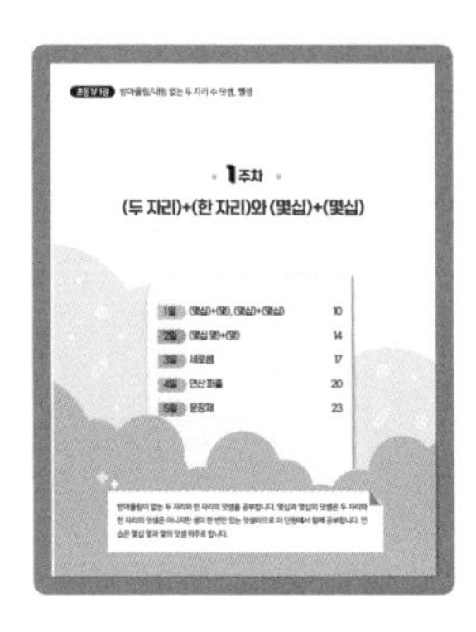

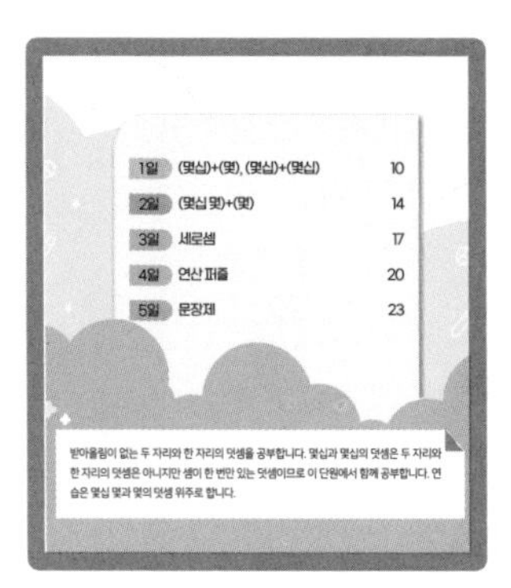

이해를 돕는 저자의 동영상 강의

처음 접하는 원리/개념과 연산 방법의 이해를 돕기 위한 동영상 강의가 있으니 이해가 어려운 내용은 QR코드를 이용하여 편리하게 동영상 강의를 보고, 공부하도록 하세요.

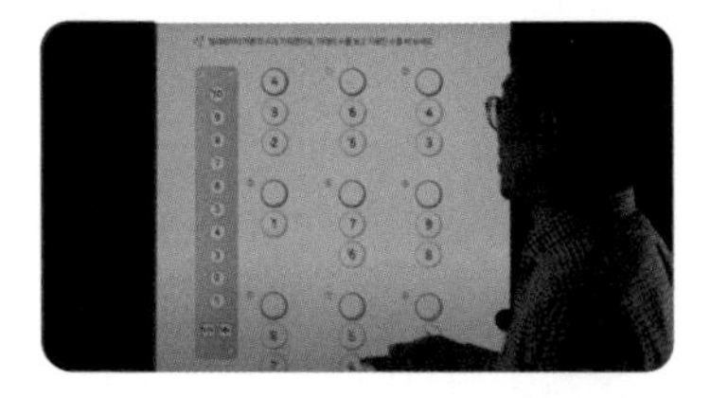

학습 Tip

간략한 도움글은 각 쪽의 아래에 있습니다.

천종현수학연구소 네이버 카페와 홈페이지를 활용하세요.

카페와 홈페이지에는 추가 문제 자료가 있고, 연산 외에서 수학 학습에 어려움을 상담 받을 수 있습니다.

네이버에서 천종현수학연구소를 검색하세요.

1주차

몇십 만들어 더하기

두 자리 수의 일의 자리 수가 클 때, 두 자리 수를 몇십으로 만들어 덧셈을 하는 원리를 익히고, 받아올림이 있는 두 자리 수와 한 자리 수의 덧셈을 공부합니다. 한 자리 덧셈과 원리가 같고 수만 확장되었기 때문에 어렵지 않게 이해하고 공부할 수 있습니다.

몇십 만들어 더하기

수 모형을 보고 □에 알맞은 수를 써넣으세요.

38 + 6 = 40 + 4 = 44

① 49 + 4 = □ + □ = □

② 27 + 9 = □ + □ = □

뒤의 수를 갈라 앞의 수를 몇십으로 만들어 덧셈을 해 보세요.

59 + 5

59 + [1] + [4]

60 + [4] = [64]

① 37 + 7

37 + [ ] + [ ]

40 + [ ] = [ ]

② 28 + 4

28 + [ ] + [ ]

30 + [ ] = [ ]

③ 16 + 6

16 + [ ] + [ ]

20 + [ ] = [ ]

④ 58 + 9

58 + [ ] + [ ]

60 + [ ] = [ ]

⑤ 79 + 4

79 + [ ] + [ ]

80 + [ ] = [ ]

계산해 보세요.

① $67 + 4 =$ (3)

② $39 + 6 =$

③ $28 + 7 =$

④ $19 + 9 =$

⑤ $48 + 3 =$

⑥ $26 + 6 =$

⑦ $56 + 8 =$

⑧ $28 + 5 =$

⑨ $36 + 5 =$

⑩ $77 + 9 =$

⑪ $37 + 8 =$

⑫ $19 + 3 =$

⑬ $28 + 4 =$

⑭ $26 + 6 =$

⑮ $49 + 6 =$

⑯ $68 + 7 =$

(두 자리 수)+(한 자리 수)

공부한 날! 월 일

빈 곳에 알맞은 수를 써넣으세요.

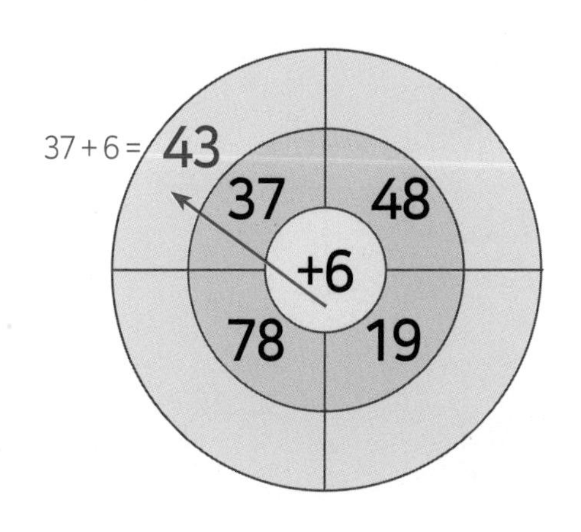

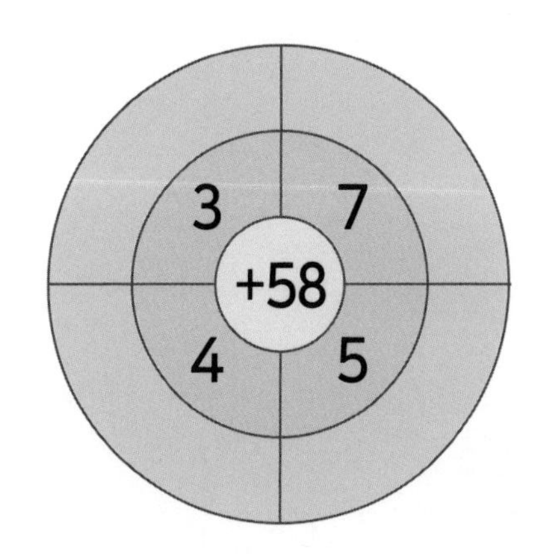

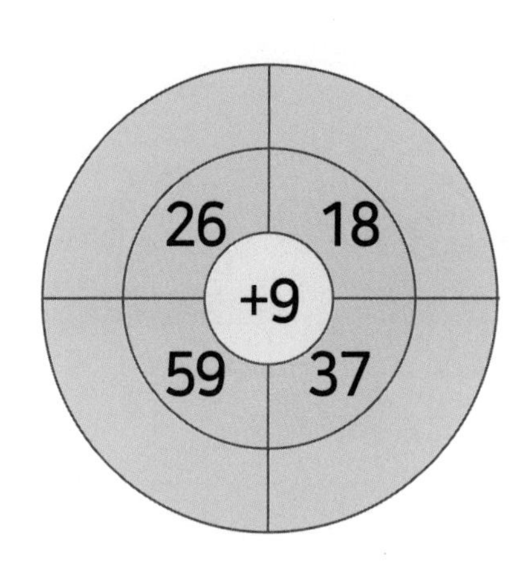

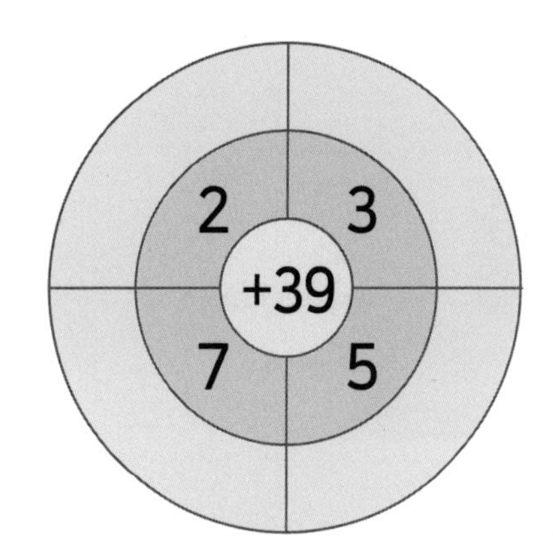

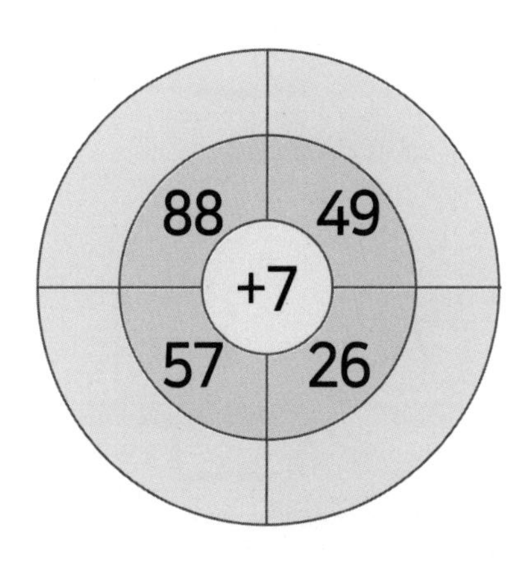

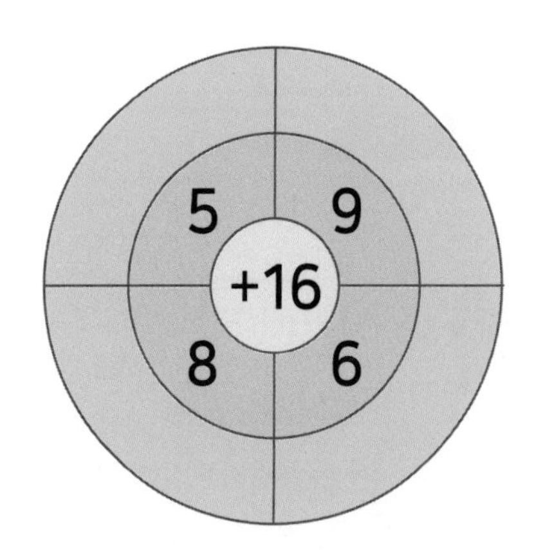

□에 추의 무게를 써넣으세요.

①
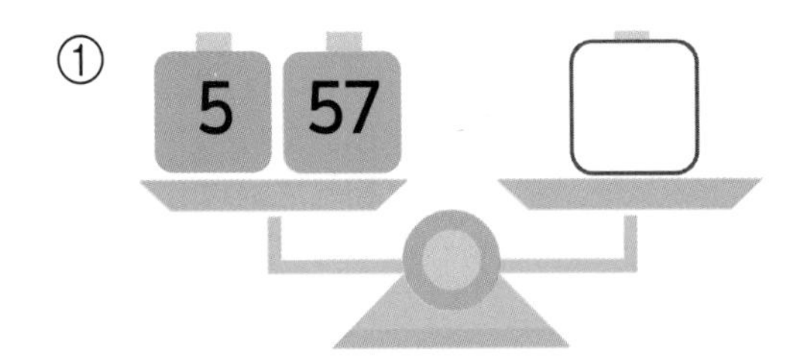

②
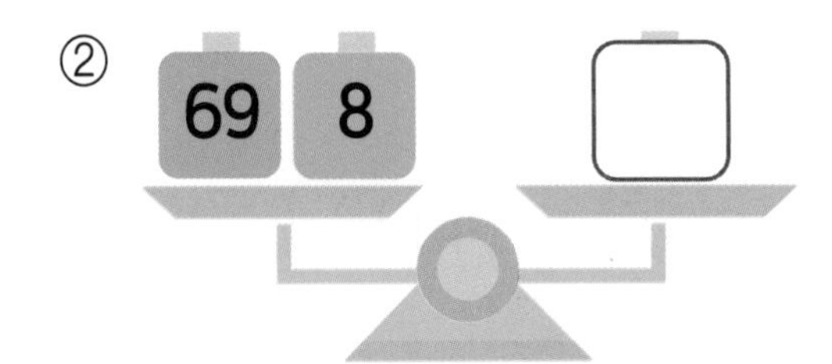

③
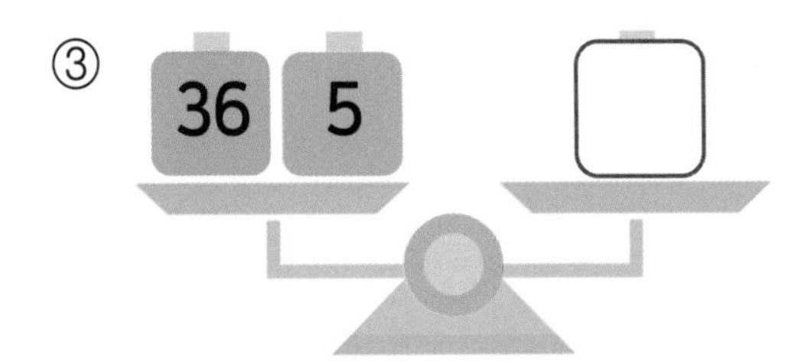

④
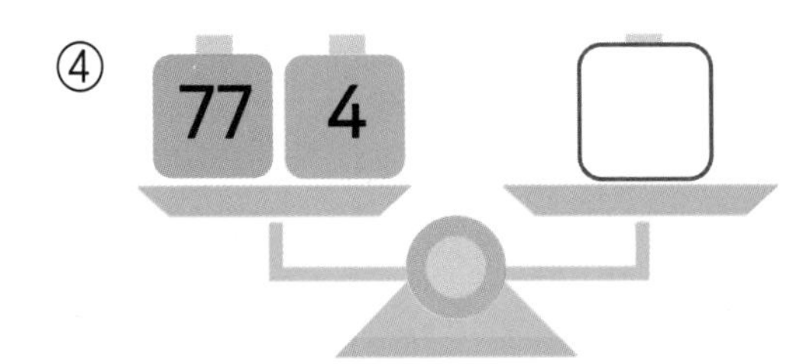

⑤
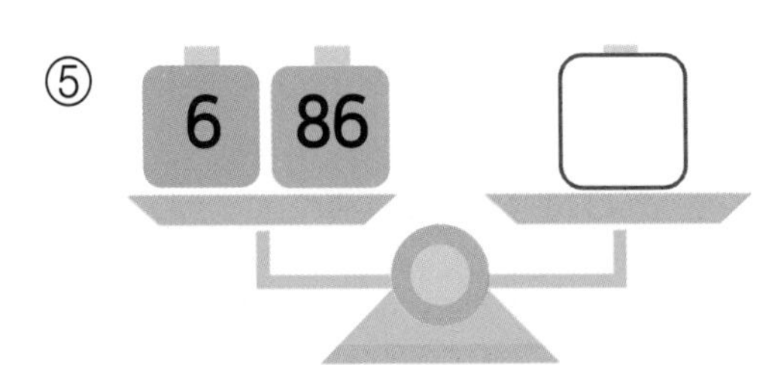

⑥
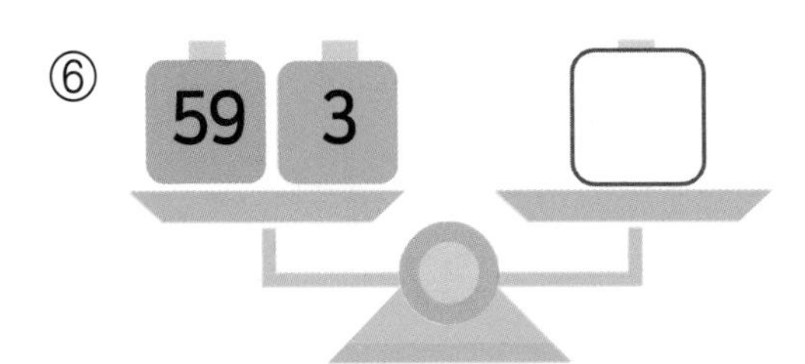

⑦

⑧
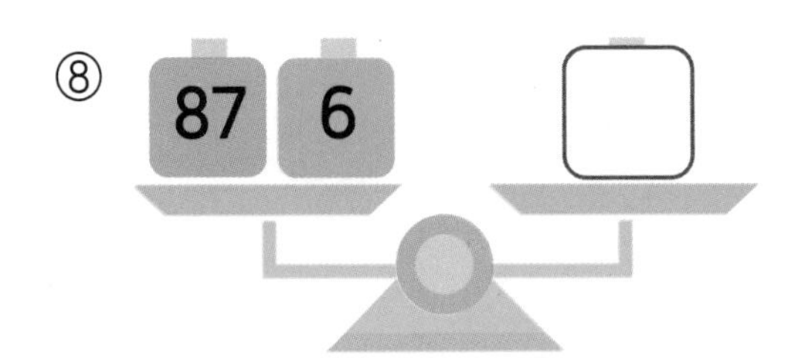

⑨
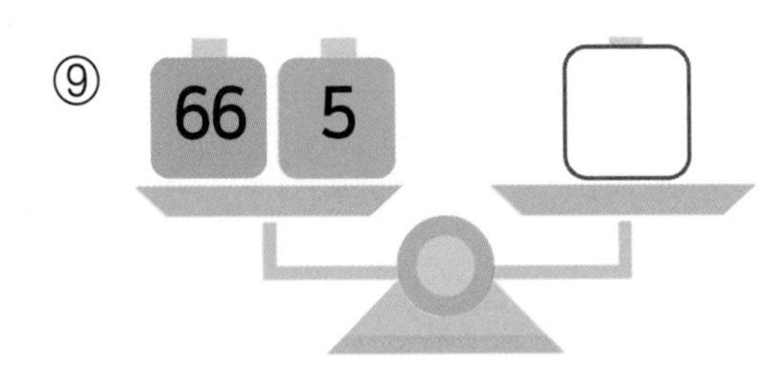

⑩

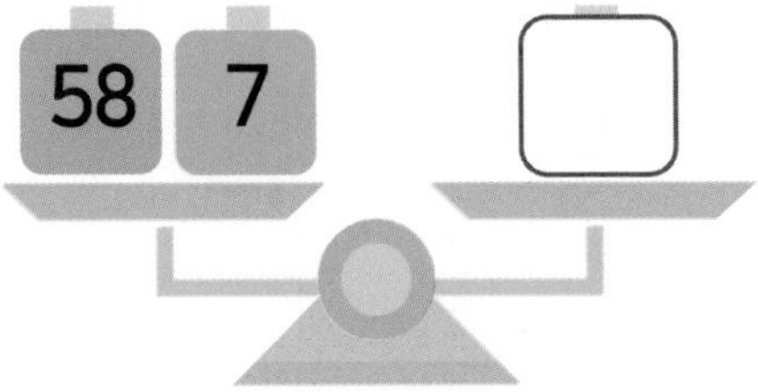

세로셈

일의 자리와 십의 자리로 나누어 세로셈으로 계산해 보세요.

	5	8
+		3
8 + 3 =	1	1
50 =	5	0
	6	1

①

	3	6
+		9
6 + 9 =		
30 =		

②

	2	8
+		5
8 + 5 =		
20 =		

③

	4	4
+		9
4 + 9 =		
40 =		

④

	1	9
+		7
9 + 7 =		
10 =		

⑤

	6	3
+		8
3 + 8 =		
60 =		

세로셈으로 계산해 보세요.

$$\begin{array}{r} 87 \\ +\ \ 6 \\ \hline \end{array} \rightarrow \begin{array}{r} {}^{1}87 \\ +\ \ 6 \\ \hline 3 \end{array} \rightarrow \begin{array}{r} {}^{1}87 \\ +\ \ 6 \\ \hline 93 \end{array}$$

① $\begin{array}{r} 25 \\ +\ \ 7 \\ \hline \end{array}$

② $\begin{array}{r} 49 \\ +\ \ 3 \\ \hline \end{array}$

③ $\begin{array}{r} 18 \\ +\ \ 5 \\ \hline \end{array}$

④ $\begin{array}{r} 58 \\ +\ \ 8 \\ \hline \end{array}$

⑤ $\begin{array}{r} 65 \\ +\ \ 8 \\ \hline \end{array}$

⑥ $\begin{array}{r} 38 \\ +\ \ 7 \\ \hline \end{array}$

⑦ $\begin{array}{r} 73 \\ +\ \ 9 \\ \hline \end{array}$

⑧ $\begin{array}{r} 19 \\ +\ \ 7 \\ \hline \end{array}$

⑨ $\begin{array}{r} 84 \\ +\ \ 6 \\ \hline \end{array}$

⑩ $\begin{array}{r} 29 \\ +\ \ 5 \\ \hline \end{array}$

⑪ $\begin{array}{r} 35 \\ +\ \ 9 \\ \hline \end{array}$

⑫ $\begin{array}{r} 53 \\ +\ \ 8 \\ \hline \end{array}$

세로셈으로 계산해 보세요.

	1	
	3	4
+		7
	4	1

①

	3	8
+		7

②

	5	5
+		8

③

	4	5
+		9

④

	1	6
+		6

⑤

	6	8
+		3

⑥

	7	8
+		5

⑦

	8	8
+		7

⑧

	2	8
+		8

⑨

	5	9
+		1

⑩

	7	8
+		9

⑪

	4	7
+		8

⑫

	2	3
+		8

⑬

	5	6
+		8

⑭

	6	5
+		7

⑮

	2	6
+		7

연산 퍼즐

공부한 날! 월 일

계산 결과와 관계된 글자를 찾아서 글을 만들어 보세요.

26 + 8 =	□	□
69 + 2 =	□	□
18 + 9 =	□	□
55 + 7 =	□	□
72 + 8 =	□	□

27	야	81	과
57	이	71	구
80	자	52	지
23	수	62	놀
34	친	70	터

$$\begin{array}{r} 33 \\ +\ \ 8 \\ \hline \end{array} \quad \begin{array}{r} 59 \\ +\ \ 4 \\ \hline \end{array} \quad \begin{array}{r} 24 \\ +\ \ 7 \\ \hline \end{array} \quad \begin{array}{r} 35 \\ +\ \ 9 \\ \hline \end{array} \quad \begin{array}{r} 19 \\ +\ \ 7 \\ \hline \end{array}$$

63	51	26	31	29
거	실	교	운	실
44	34	41	65	33
학	내	즐	동	화

계산 결과가 같은 것을 선으로 이어 보세요.

$$\begin{array}{r} 35 \\ +\ \ 7 \\ \hline \end{array}$$

$$\begin{array}{r} 48 \\ +\ \ 9 \\ \hline \end{array}$$

$$\begin{array}{r} 25 \\ +\ \ 9 \\ \hline \end{array}$$

$$\begin{array}{r} 44 \\ +\ \ 9 \\ \hline \end{array}$$

$$\begin{array}{r} 23 \\ +\ \ 8 \\ \hline \end{array}$$

29 + 5 = ☐

27 + 4 = ☐

39 + 3 = ☐

48 + 5 = ☐

49 + 8 = ☐

합이 되는 두 수를 오른쪽과 왼쪽에 하나씩 선으로 이어 보세요.

43 •	• 43 •	• 9
38 •	• 64 •	• 7
39 •	• 51 •	• 6
29 •	• 36 •	• 5
55 •	• 42 •	• 8
51 •	• 57 •	• 3

문장제

글과 그림을 보고 알맞은 식을 세우고 답을 구하세요.

희령이네 집에는 숟가락 14개, 젓가락 9개, 포크 8개가 있습니다.

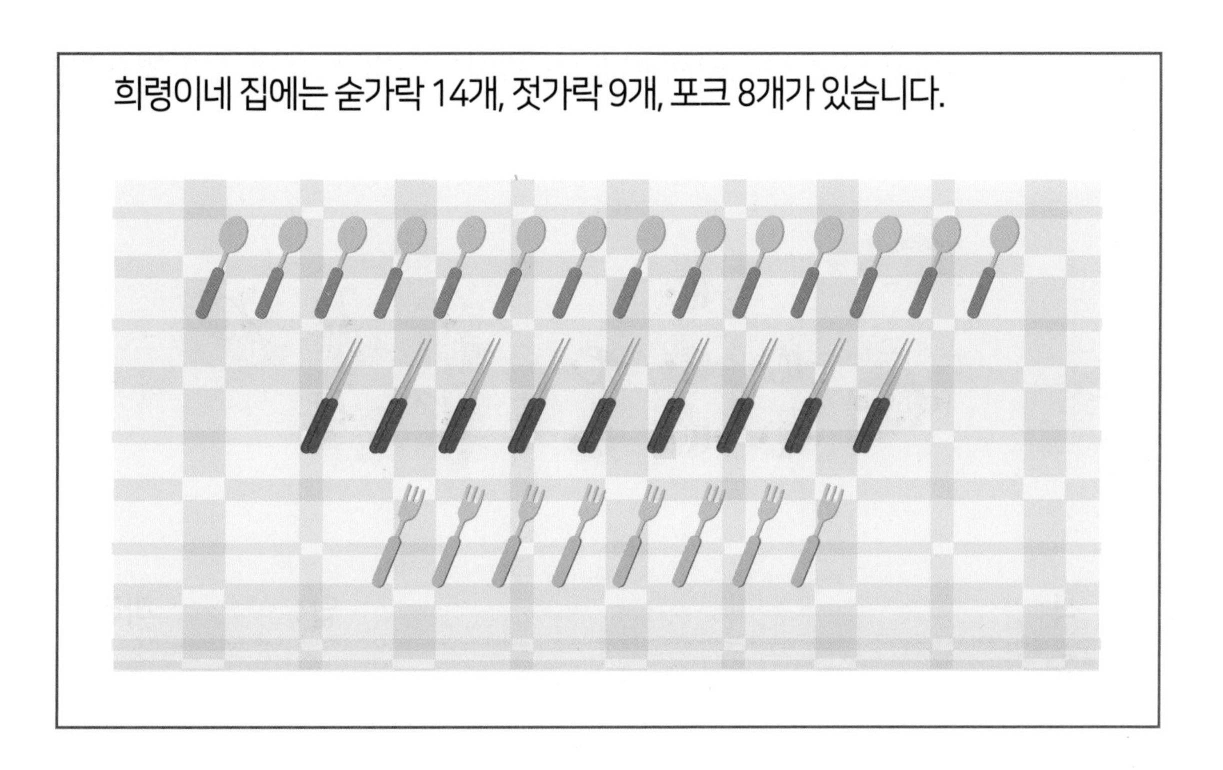

★ 희령이네 집에 있는 숟가락과 젓가락은 모두 몇 개일까요?

식 : 14 + 9 = 23 답 : 23 개

① 희령이네 집에 있는 숟가락과 포크는 모두 몇 개일까요?

식 : ______ 답 : ______ 개

문제를 읽고 알맞은 식과 답을 써 보세요.

① 꽃밭에 벌이 17마리, 나비가 5마리 있습니다. 꽃밭에 있는 벌과 나비는 모두 몇 마리일까요?

식 : ______________________ 답 : ______ 마리

② 음악실에 실로폰이 26개, 탬버린이 9개 있습니다. 음악실에 있는 실로폰과 탬버린은 모두 몇 개일까요?

식 : ______________________ 답 : ______ 개

문제를 읽고 알맞은 식과 답을 써 보세요.

① 1학년은 14반, 2학년은 9반까지 있는 학교가 있습니다. 1, 2학년의 각 반에 시계 하나씩을 걸어 놓으려면 시계는 모두 몇 개가 필요할까요?

식 : ______________________ 답 : ______ 개

② 엄마 다람쥐와 아기 다람쥐가 37개와 8개의 도토리를 모았습니다. 엄마와 아기 다람쥐가 모은 도토리는 모두 몇 개일까요?

식 : ______________________ 답 : ______ 개

③ 참새 17마리가 전깃줄에 앉아 있는데 8마리의 참새가 더 날아와 앉았습니다. 전깃줄에 앉아 있는 참새는 모두 몇 마리일까요?

식 : ______________________ 답 : ______ 마리

문제를 읽고 알맞은 식과 답을 써 보세요.

① 경찬이는 줄넘기를 했는데 처음에는 7개, 두 번째에는 45개의 줄넘기를 넘었습니다. 모두 몇 개의 줄넘기를 넘었을까요?

식 : ______________________ 답 : ______ 개

② 현정이는 8살이고 아버지는 35살입니다. 현정이와 아버지의 나이를 합하면 몇 살일까요?

식 : ______________________ 답 : ______ 살

③ 클립과 옷핀이 모여 있는 상자에 자석을 갖다 대니 클립이 16개, 옷핀이 5개가 붙었습니다. 자석에 붙은 클립과 옷핀은 모두 몇 개일까요?

식 : ______________________ 답 : ______ 개

2주차

10 만들어 더하기

한 자리 수가 클 때, 한 자리 수를 10으로 만들어 덧셈을 하는 원리를 익히고, 받아올림이 있는 두 자리 수와 한 자리 수의 덧셈을 공부합니다. 이 원리도 한 자리 덧셈과 같고 수만 확장되었기 때문에 어렵지 않게 이해하고 연습할 수 있습니다.

10 만들어 더하기

수 모형을 보고 □에 알맞은 수를 써넣으세요.

46 + 9 = [45] + [10] = [55]

①

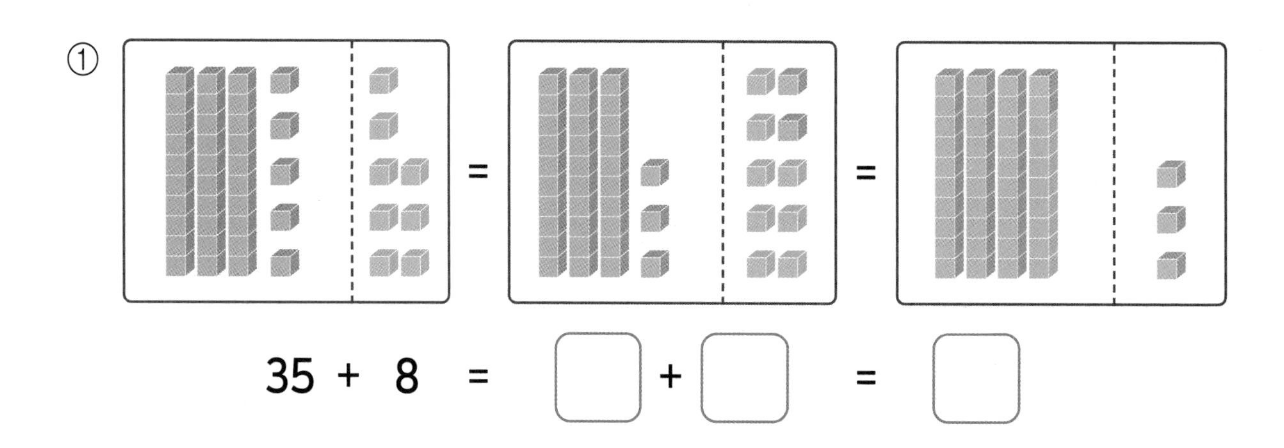

35 + 8 = □ + □ = □

②

27 + 7 = □ + □ = □

앞의 수를 갈라 뒤의 수를 십으로 만들어 덧셈을 해 보세요.

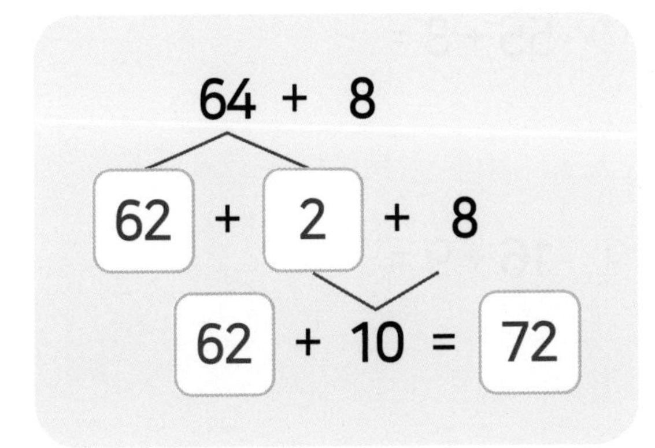

①

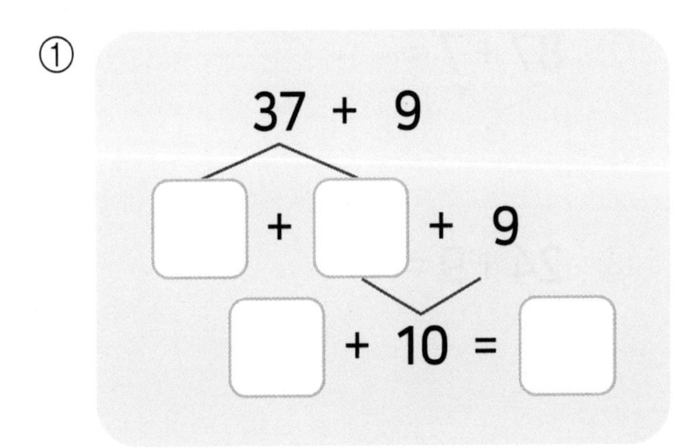

②

44 + 8

□ + □ + 8

□ + 10 = □

③

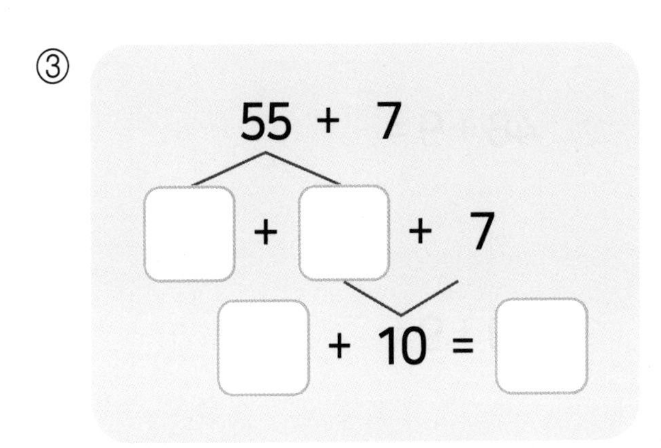

④

26 + 9

□ + □ + 9

□ + 10 = □

⑤

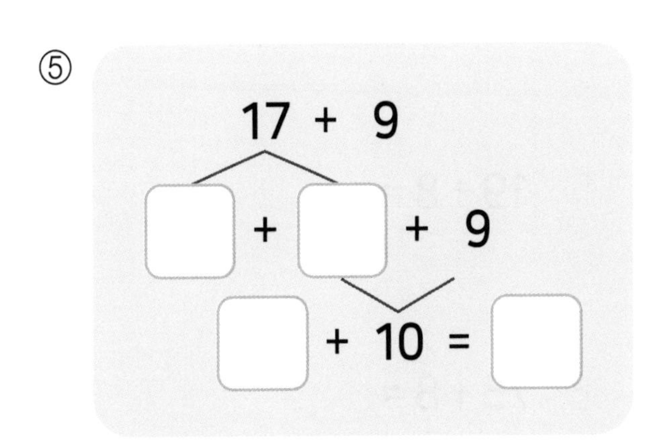

계산해 보세요.

① $87 + 7 =$ (3)

② $55 + 8 =$

③ $24 + 9 =$

④ $16 + 9 =$

⑤ $85 + 8 =$

⑥ $24 + 7 =$

⑦ $48 + 9 =$

⑧ $67 + 8 =$

⑨ $29 + 9 =$

⑩ $43 + 8 =$

⑪ $17 + 9 =$

⑫ $39 + 8 =$

⑬ $19 + 8 =$

⑭ $55 + 7 =$

⑮ $75 + 8 =$

⑯ $26 + 9 =$

두 수의 합

두 수의 합을 오른쪽 표에서 찾아 색칠해 보세요.

66 7 | 36 9
14 9 | 29 8
84 9 | 35 8
27 7 | 53 9

93	43	23
55	73	71
27	62	47
31	37	39
45	34	28

45 8 | 38 9
19 7 | 17 8
25 8 | 58 9
15 9 | 54 7

25	28	47
61	41	53
24	44	67
21	33	42
19	26	35

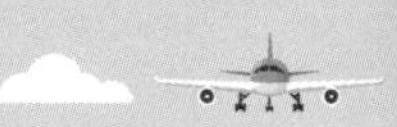

기울어진 모빌의 균형이 맞도록 □에 알맞은 수를 써넣으세요.

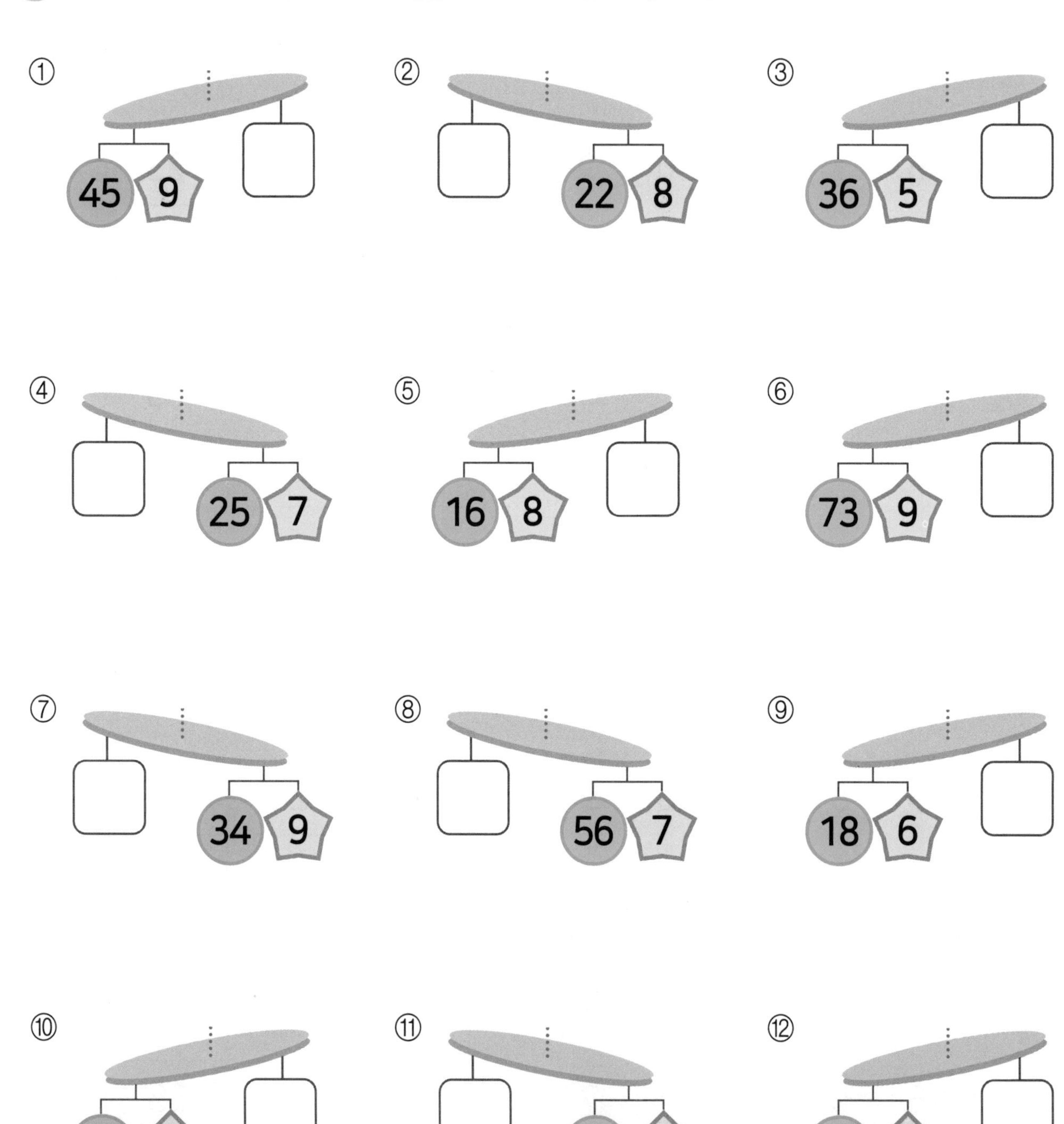

사다리셈

사다리를 타면서 계산하여 빈 곳에 알맞은 수를 써넣으세요.

①

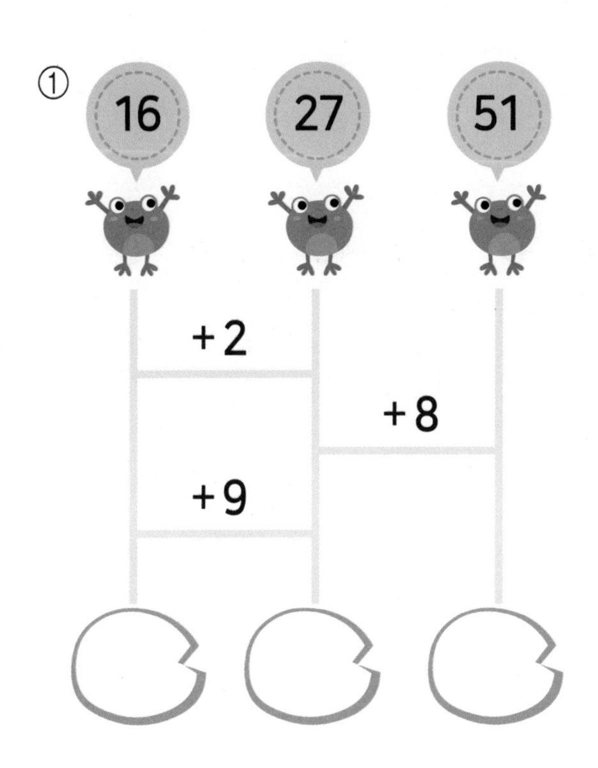

②

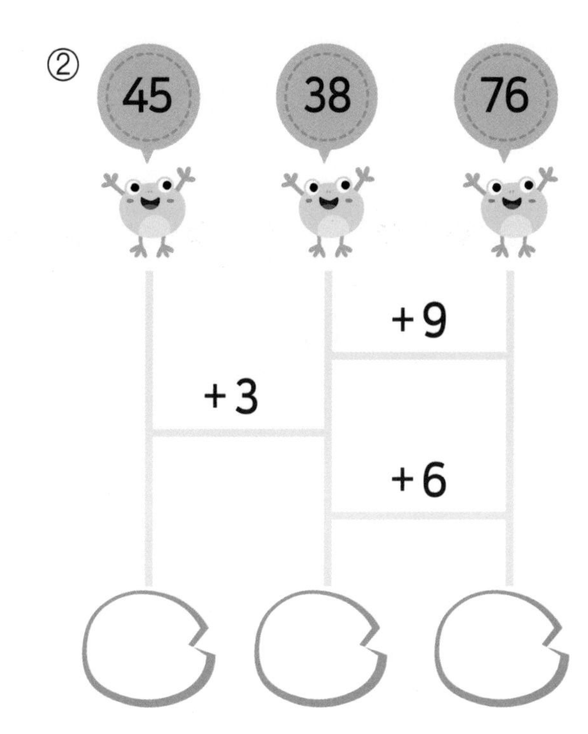

③

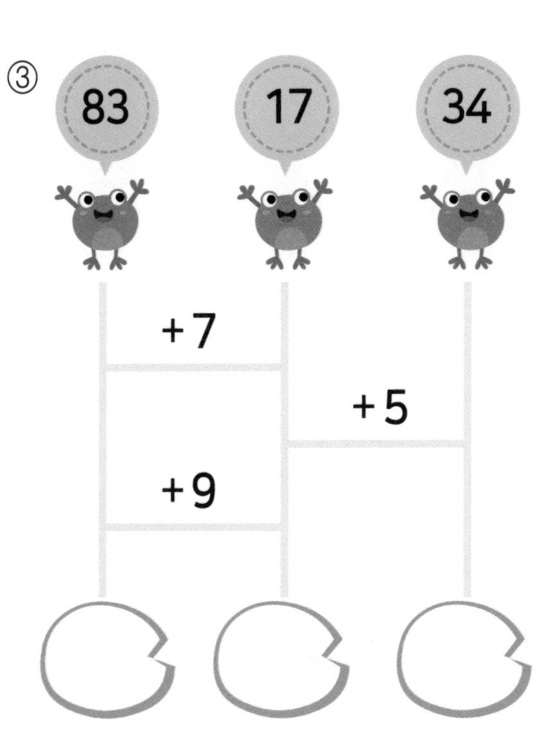

④

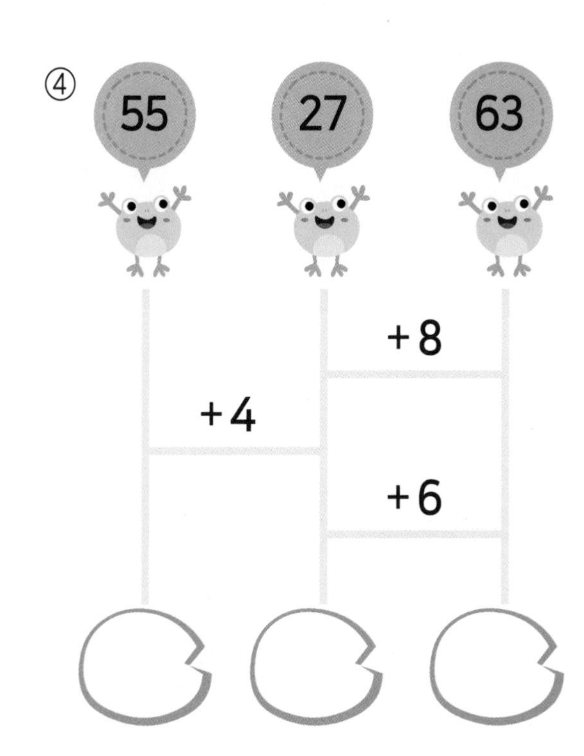

사다리를 타면서 계산하여 빈 곳에 알맞은 수를 써넣으세요.

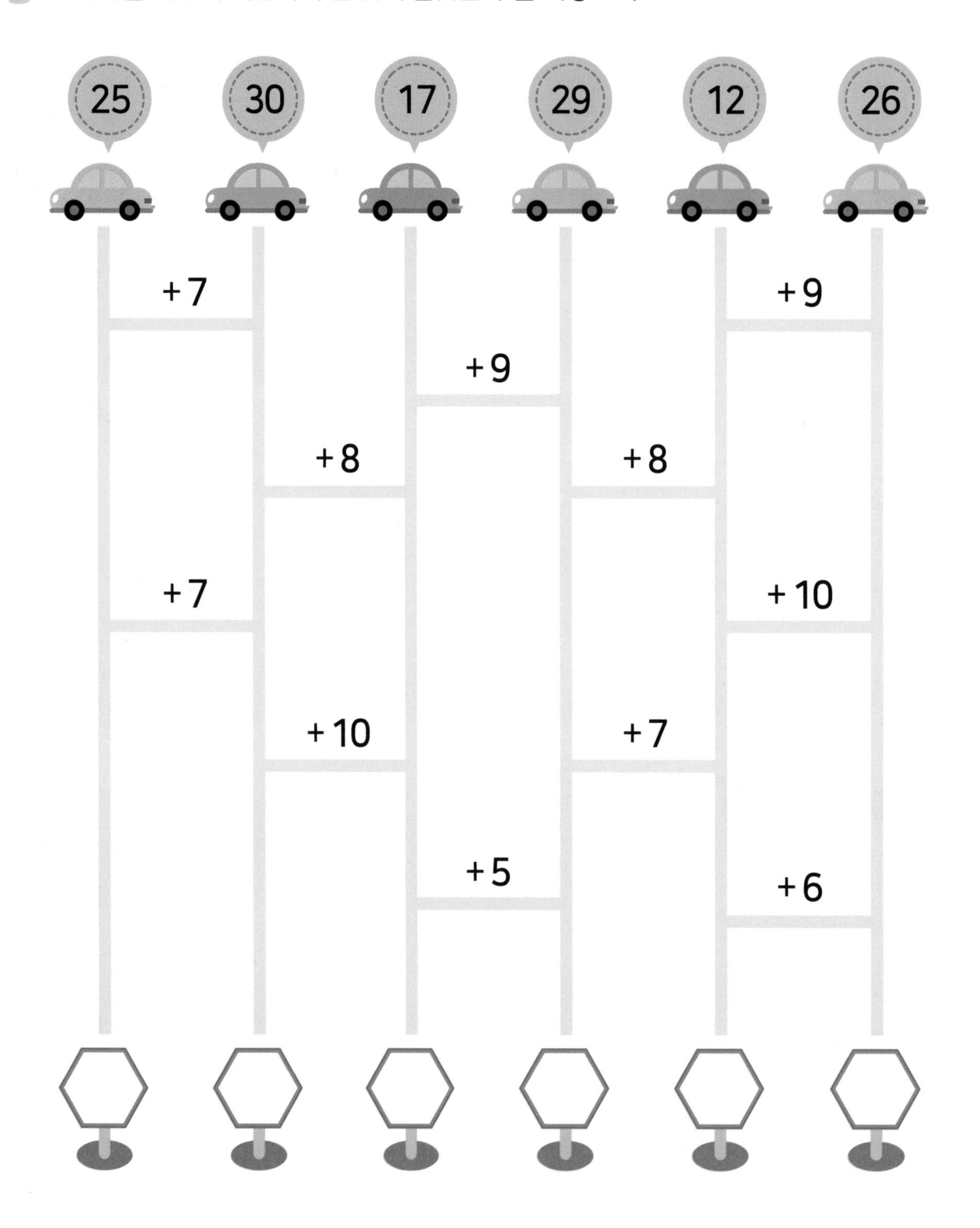

사다리를 타면서 계산하여 빈 곳에 알맞은 수를 써넣으세요.

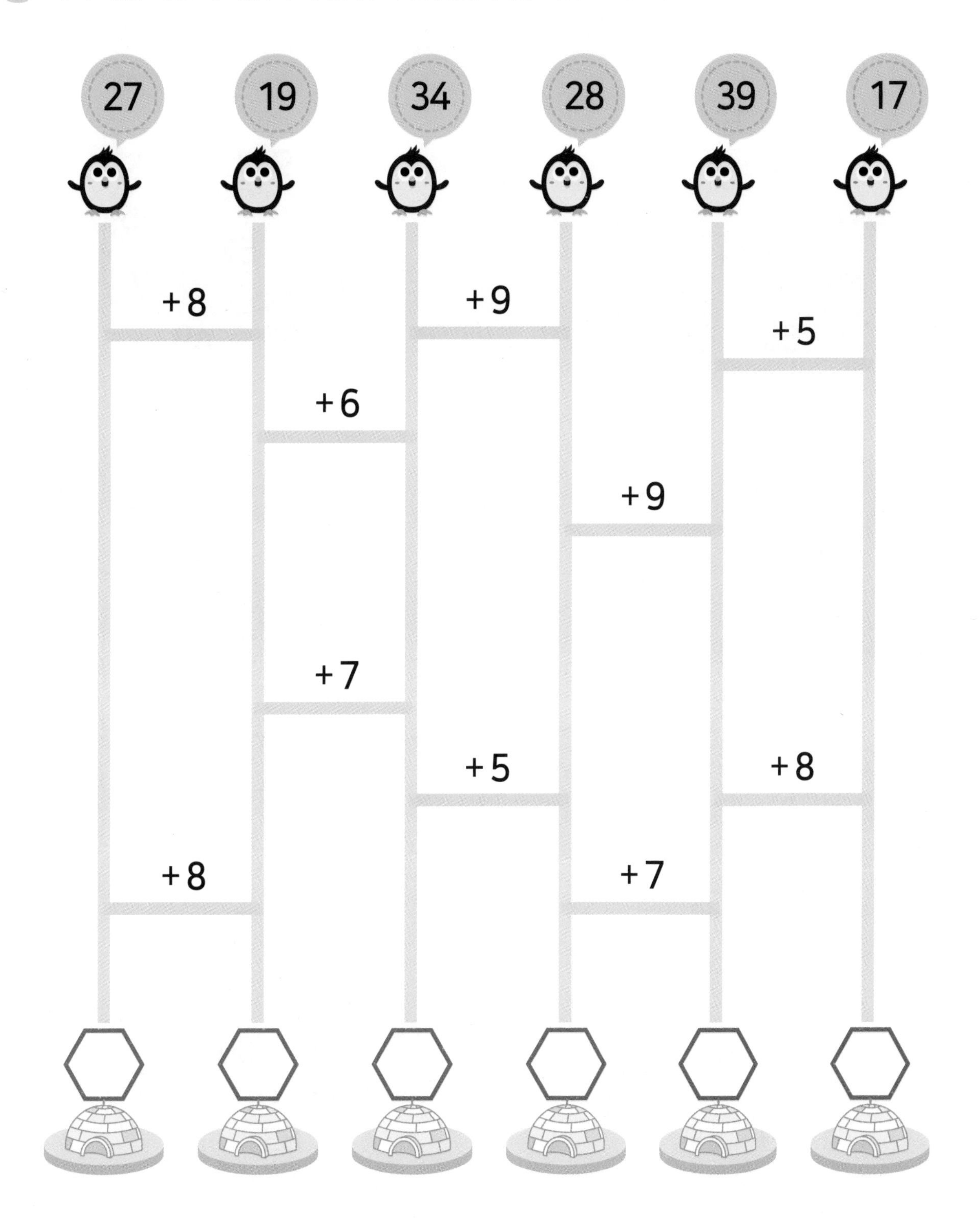

연산 퍼즐

공부한 날! 월 일

과녁 맞히기에서 화살 두 개를 던졌을 때 화살이 꽂힌 수의 합이 가운데 수가 되도록 두 화살이 꽂혀야 하는 수에 ◯표 하세요.

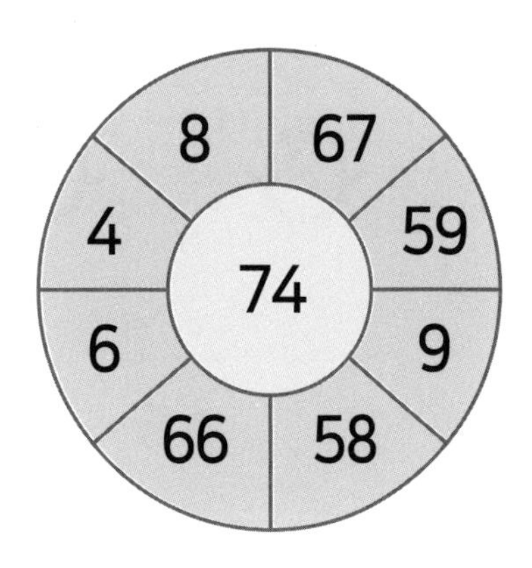

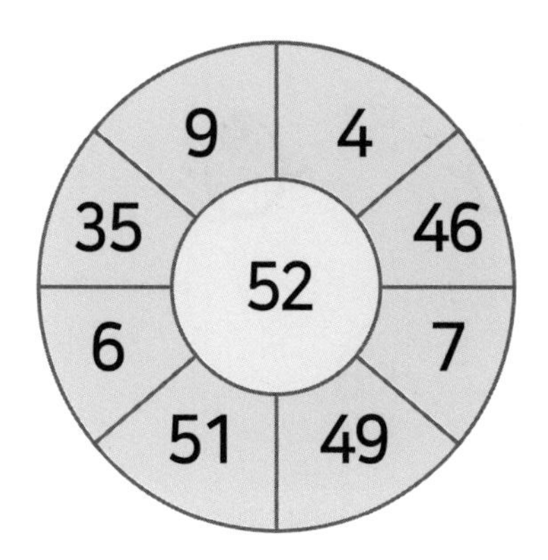

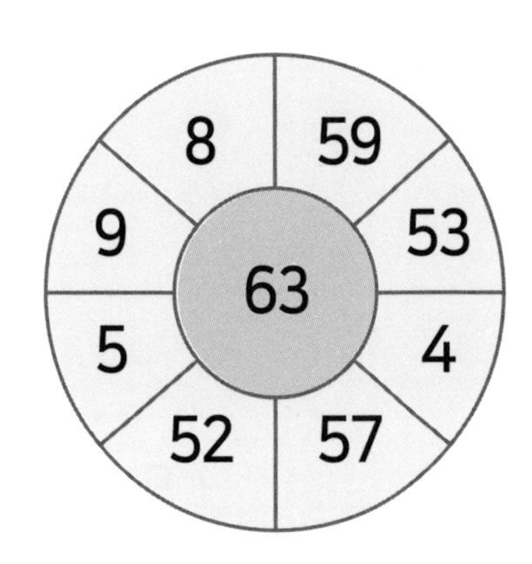

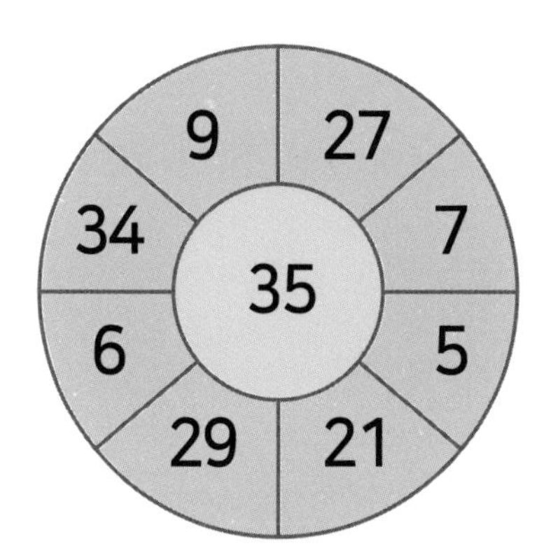

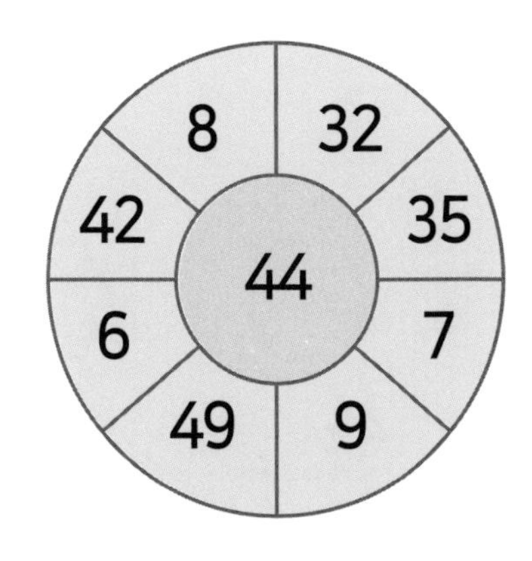

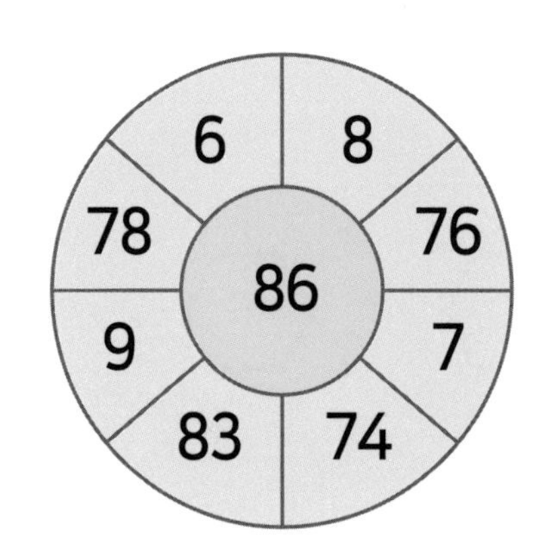

과녁 맞히기에서 화살 두 개를 던졌을 때 화살이 꽂힌 수의 합이 가운데 수가 되도록 두 화살이 꽂혀야 하는 수에 ◯표 하세요.

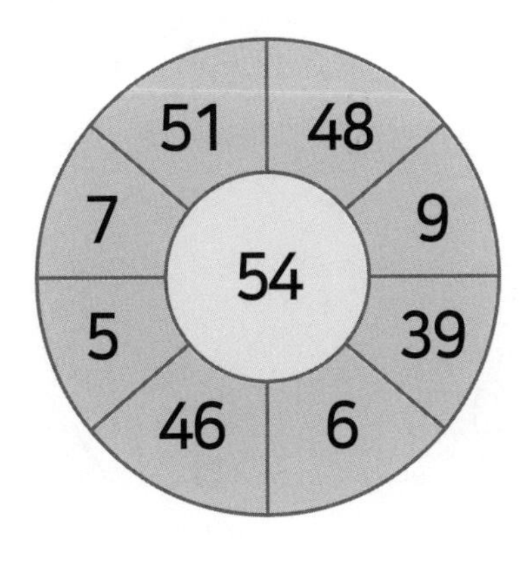

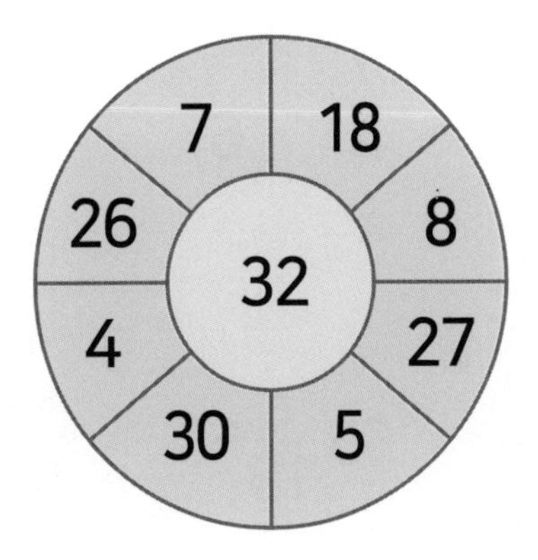

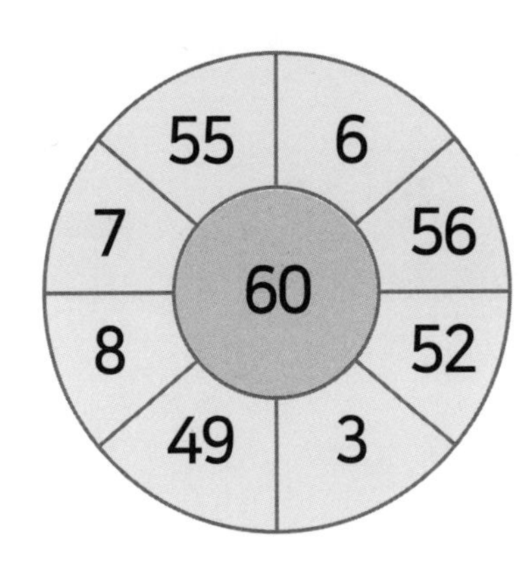

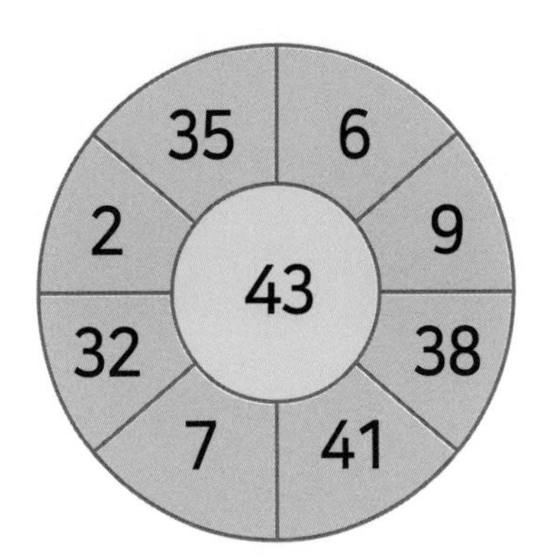

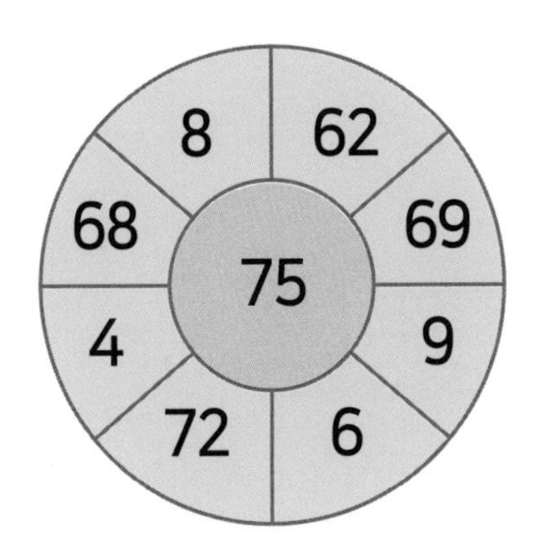

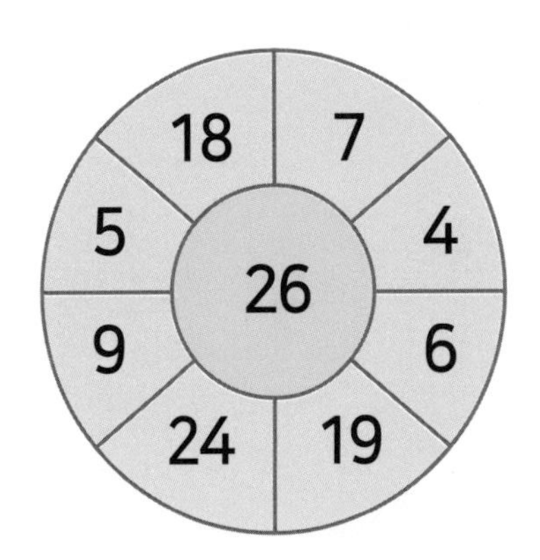

양팔저울의 균형을 맞추기 위해서 내려놓아야 할 추에 ◯표 하세요.

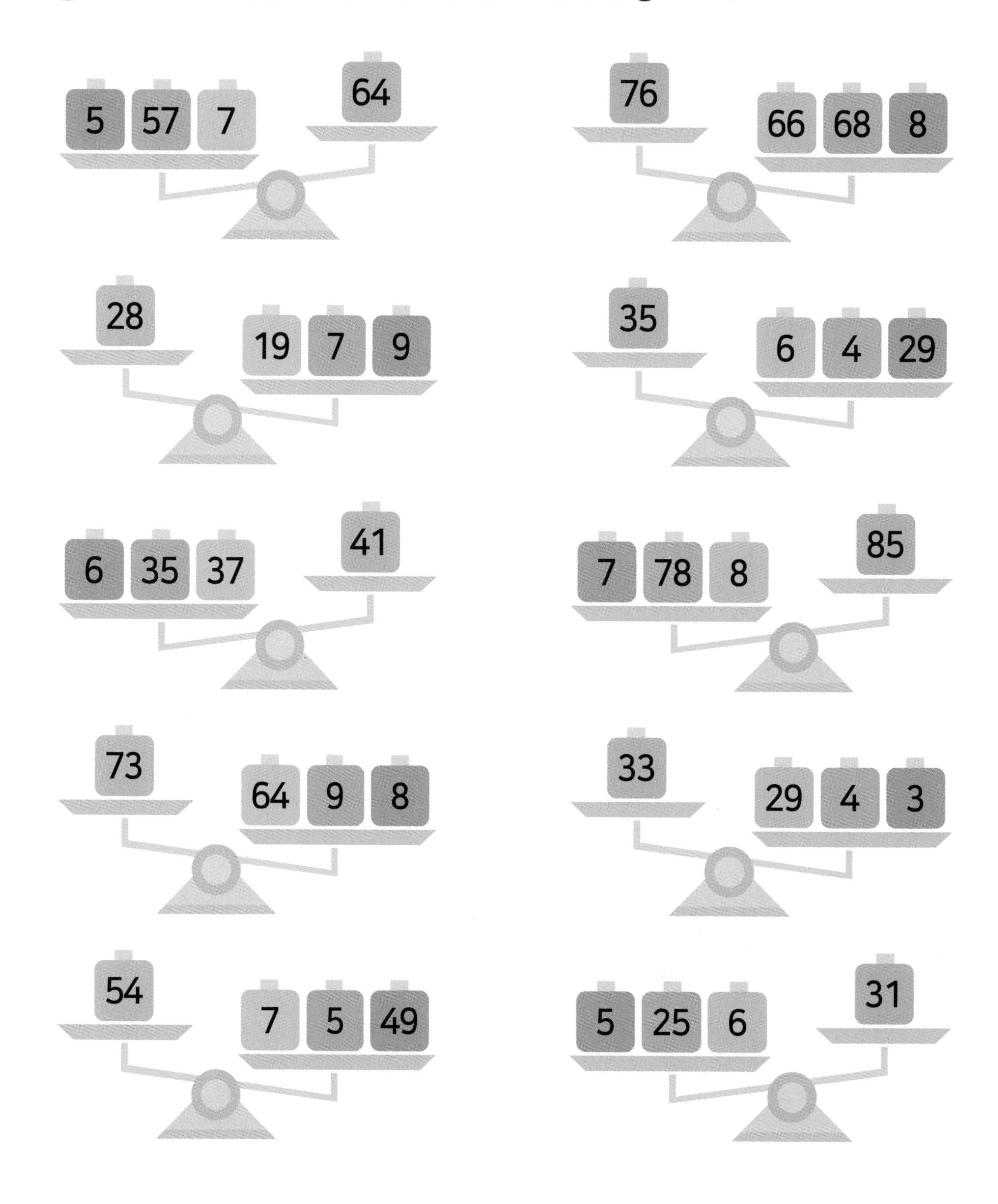

문장제

글과 그림을 보고 알맞은 식을 세우고 답을 구하세요.

성냥개비로 여러 가지 모양을 만들려고 합니다. 명진이가 6개, 민철이가 38개, 성희가 29개의 성냥을 준비하였습니다.

★ 명진이와 민철이가 같이 모양을 만든다면 사용할 수 있는 성냥은 몇 개일까요?

식 : 6 + 38 = 44　　답 : 44 개

① 명진이와 성희가 같이 모양을 만든다면 사용할 수 있는 성냥은 몇 개일까요?

식 : ____________　　답 : ____ 개

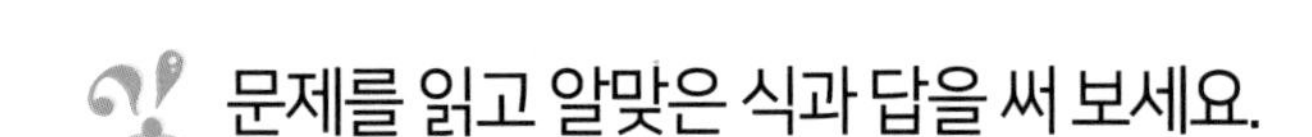

문제를 읽고 알맞은 식과 답을 써 보세요.

① 어머니께서 사과 16개와 배 7개를 사 오셨습니다. 어머니께서 사 오신 사과와 배는 모두 몇 개일까요?

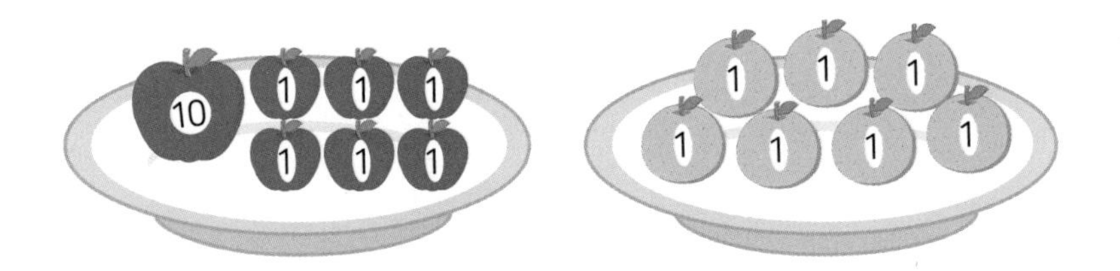

식 : ______________________ 답 : ______ 개

② 병석이는 색종이로 종이배 23개와 종이비행기 9개를 접었습니다. 병석이가 만든 종이배와 종이비행기는 모두 몇 개일까요?

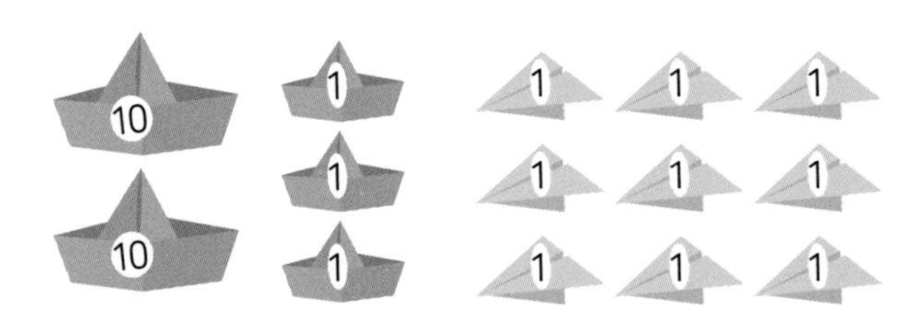

식 : ______________________ 답 : ______ 개

문제를 읽고 알맞은 식과 답을 써 보세요.

① 민정이와 수진이가 동시에 훌라후프를 돌렸는데 민정이는 46번, 수진이는 8번을 돌렸습니다. 두 사람이 돌린 훌라후프는 모두 몇 번일까요?

식 : ______________________ 답 : ______ 번

② 학교 체육 대회를 준비하기 위해 탁구공 64개와 배구공 7개를 사 왔습니다. 사 온 탁구공과 배구공은 모두 몇 개일까요?

식 : ______________________ 답 : ______ 개

③ 현호네 반 학생 29명과 선생님 3분이 같이 소풍을 갔습니다. 소풍을 간 사람은 모두 몇 명일까요?

식 : ______________________ 답 : ______ 명

문제를 읽고 알맞은 식과 답을 써 보세요.

① 꽃밭에 장미꽃 27송이와 나팔꽃 6송이가 피어 있습니다. 꽃밭에 피어 있는 장미꽃과 나팔꽃은 모두 몇 송이일까요?

식 : ____________________ 답 : ______ 송이

② 민수네 축사에는 소가 27마리, 돼지가 8마리 있습니다. 민수네 축사에 있는 소와 돼지는 모두 몇 마리일까요?

식 : ____________________ 답 : ______ 마리

③ 운동장에 축구를 하기 위해 26명, 농구를 하기 위해 8명이 모였습니다. 축구와 농구를 하기 위해 모인 사람은 모두 몇 명일까요?

식 : ____________________ 답 : ______ 명

3주차

도전! 계산왕

(두 자리 수)+(한 자리 수)

공부한 날	월 일
점 수	/ 20

계산해 보세요.

① $42+9=$

② $79+7=$

③ $28+6=$

④ $17+5=$

⑤ $78+8=$

⑥ $84+9=$

⑦ $29+6=$

⑧ $28+8=$

⑨ $24+9=$

⑩ $27+9=$

⑪ $78+9=$

⑫ $28+4=$

⑬ $\begin{array}{r} 54 \\ +\ \ 6 \\ \hline \end{array}$

⑭ $\begin{array}{r} 23 \\ +\ \ 7 \\ \hline \end{array}$

⑮ $\begin{array}{r} 56 \\ +\ \ 9 \\ \hline \end{array}$

⑯ $\begin{array}{r} 28 \\ +\ \ 5 \\ \hline \end{array}$

⑰ $\begin{array}{r} 15 \\ +\ \ 7 \\ \hline \end{array}$

⑱ $\begin{array}{r} 63 \\ +\ \ 8 \\ \hline \end{array}$

⑲ $\begin{array}{r} 49 \\ +\ \ 3 \\ \hline \end{array}$

⑳ $\begin{array}{r} 57 \\ +\ \ 4 \\ \hline \end{array}$

1일 ❷

(두 자리 수)+(한 자리 수)

공부한 날	월 일
점 수	/ 20

계산해 보세요.

① $18+9=$

② $47+8=$

③ $74+9=$

④ $38+7=$

⑤ $72+9=$

⑥ $55+9=$

⑦ $75+8=$

⑧ $62+9=$

⑨ $19+9=$

⑩ $17+6=$

⑪ $86+5=$

⑫ $48+8=$

⑬ $\begin{array}{r} 64 \\ +\ \ 8 \\ \hline \end{array}$

⑭ $\begin{array}{r} 35 \\ +\ \ 6 \\ \hline \end{array}$

⑮ $\begin{array}{r} 19 \\ +\ \ 2 \\ \hline \end{array}$

⑯ $\begin{array}{r} 85 \\ +\ \ 5 \\ \hline \end{array}$

⑰ $\begin{array}{r} 27 \\ +\ \ 6 \\ \hline \end{array}$

⑱ $\begin{array}{r} 62 \\ +\ \ 8 \\ \hline \end{array}$

⑲ $\begin{array}{r} 53 \\ +\ \ 9 \\ \hline \end{array}$

⑳ $\begin{array}{r} 48 \\ +\ \ 7 \\ \hline \end{array}$

(두 자리 수)+(한 자리 수)

공부한 날	월 일
점수	/ 20

계산해 보세요.

① $59+2=$

② $12+9=$

③ $33+9=$

④ $42+9=$

⑤ $82+9=$

⑥ $28+7=$

⑦ $54+8=$

⑧ $39+6=$

⑨ $14+9=$

⑩ $46+8=$

⑪ $44+9=$

⑫ $87+4=$

⑬ $\begin{array}{r} 66 \\ +\ \ 8 \\ \hline \end{array}$

⑭ $\begin{array}{r} 34 \\ +\ \ 7 \\ \hline \end{array}$

⑮ $\begin{array}{r} 67 \\ +\ \ 6 \\ \hline \end{array}$

⑯ $\begin{array}{r} 38 \\ +\ \ 4 \\ \hline \end{array}$

⑰ $\begin{array}{r} 18 \\ +\ \ 8 \\ \hline \end{array}$

⑱ $\begin{array}{r} 23 \\ +\ \ 9 \\ \hline \end{array}$

⑲ $\begin{array}{r} 49 \\ +\ \ 8 \\ \hline \end{array}$

⑳ $\begin{array}{r} 17 \\ +\ \ 9 \\ \hline \end{array}$

(두 자리 수)+(한 자리 수)

공부한 날	월 일
점수	/ 20

계산해 보세요.

① $76 + 8 =$

② $56 + 9 =$

③ $56 + 6 =$

④ $36 + 8 =$

⑤ $44 + 9 =$

⑥ $42 + 9 =$

⑦ $62 + 9 =$

⑧ $82 + 9 =$

⑨ $36 + 5 =$

⑩ $13 + 9 =$

⑪ $24 + 9 =$

⑫ $36 + 9 =$

⑬ $\begin{array}{r} 13 \\ +\ \ 7 \\ \hline \end{array}$

⑭ $\begin{array}{r} 19 \\ +\ \ 6 \\ \hline \end{array}$

⑮ $\begin{array}{r} 28 \\ +\ \ 6 \\ \hline \end{array}$

⑯ $\begin{array}{r} 23 \\ +\ \ 9 \\ \hline \end{array}$

⑰ $\begin{array}{r} 45 \\ +\ \ 9 \\ \hline \end{array}$

⑱ $\begin{array}{r} 72 \\ +\ \ 8 \\ \hline \end{array}$

⑲ $\begin{array}{r} 84 \\ +\ \ 9 \\ \hline \end{array}$

⑳ $\begin{array}{r} 37 \\ +\ \ 5 \\ \hline \end{array}$

(두 자리 수)+(한 자리 수)

공부한 날	월 일
점수	/ 20

계산해 보세요.

① $32 + 9 =$

② $18 + 7 =$

③ $37 + 4 =$

④ $38 + 9 =$

⑤ $46 + 8 =$

⑥ $66 + 5 =$

⑦ $26 + 8 =$

⑧ $85 + 6 =$

⑨ $65 + 9 =$

⑩ $37 + 8 =$

⑪ $76 + 9 =$

⑫ $75 + 7 =$

⑬ $\begin{array}{r} 57 \\ +\ \ 8 \\ \hline \end{array}$

⑭ $\begin{array}{r} 12 \\ +\ \ 8 \\ \hline \end{array}$

⑮ $\begin{array}{r} 36 \\ +\ \ 9 \\ \hline \end{array}$

⑯ $\begin{array}{r} 16 \\ +\ \ 5 \\ \hline \end{array}$

⑰ $\begin{array}{r} 34 \\ +\ \ 8 \\ \hline \end{array}$

⑱ $\begin{array}{r} 74 \\ +\ \ 7 \\ \hline \end{array}$

⑲ $\begin{array}{r} 29 \\ +\ \ 3 \\ \hline \end{array}$

⑳ $\begin{array}{r} 43 \\ +\ \ 9 \\ \hline \end{array}$

(두 자리 수)+(한 자리 수)

공부한 날	월 일
점 수	/ 20

계산해 보세요.

① $58+4=$

② $63+8=$

③ $19+4=$

④ $76+8=$

⑤ $17+8=$

⑥ $46+5=$

⑦ $14+8=$

⑧ $82+9=$

⑨ $65+7=$

⑩ $36+9=$

⑪ $75+8=$

⑫ $84+7=$

⑬ $\begin{array}{r} 85 \\ +\ \ 9 \\ \hline \end{array}$

⑭ $\begin{array}{r} 29 \\ +\ \ 4 \\ \hline \end{array}$

⑮ $\begin{array}{r} 56 \\ +\ \ 7 \\ \hline \end{array}$

⑯ $\begin{array}{r} 47 \\ +\ \ 3 \\ \hline \end{array}$

⑰ $\begin{array}{r} 52 \\ +\ \ 8 \\ \hline \end{array}$

⑱ $\begin{array}{r} 33 \\ +\ \ 9 \\ \hline \end{array}$

⑲ $\begin{array}{r} 76 \\ +\ \ 5 \\ \hline \end{array}$

⑳ $\begin{array}{r} 46 \\ +\ \ 6 \\ \hline \end{array}$

(두 자리 수)+(한 자리 수)

공부한 날	월 일
점 수	/ 20

계산해 보세요.

① 23 + 8 = ② 35 + 9 = ③ 87 + 8 =

④ 78 + 7 = ⑤ 64 + 7 = ⑥ 52 + 9 =

⑦ 35 + 7 = ⑧ 82 + 9 = ⑨ 28 + 5 =

⑩ 62 + 9 = ⑪ 37 + 7 = ⑫ 73 + 9 =

⑬ $\begin{array}{r} 25 \\ +\ \ 5 \\ \hline \end{array}$ ⑭ $\begin{array}{r} 34 \\ +\ \ 6 \\ \hline \end{array}$ ⑮ $\begin{array}{r} 48 \\ +\ \ 8 \\ \hline \end{array}$ ⑯ $\begin{array}{r} 33 \\ +\ \ 9 \\ \hline \end{array}$

⑰ $\begin{array}{r} 37 \\ +\ \ 9 \\ \hline \end{array}$ ⑱ $\begin{array}{r} 27 \\ +\ \ 8 \\ \hline \end{array}$ ⑲ $\begin{array}{r} 67 \\ +\ \ 4 \\ \hline \end{array}$ ⑳ $\begin{array}{r} 42 \\ +\ \ 9 \\ \hline \end{array}$

(두 자리 수)+(한 자리 수)

공부한 날	월 일
점 수	/ 20

계산해 보세요.

① $55+9=$

② $64+8=$

③ $75+6=$

④ $28+5=$

⑤ $43+8=$

⑥ $42+9=$

⑦ $29+9=$

⑧ $36+5=$

⑨ $46+7=$

⑩ $56+7=$

⑪ $79+6=$

⑫ $16+7=$

⑬ $\begin{array}{r} 72 \\ +\ \ 9 \\ \hline \end{array}$

⑭ $\begin{array}{r} 35 \\ +\ \ 7 \\ \hline \end{array}$

⑮ $\begin{array}{r} 54 \\ +\ \ 9 \\ \hline \end{array}$

⑯ $\begin{array}{r} 68 \\ +\ \ 8 \\ \hline \end{array}$

⑰ $\begin{array}{r} 55 \\ +\ \ 9 \\ \hline \end{array}$

⑱ $\begin{array}{r} 59 \\ +\ \ 4 \\ \hline \end{array}$

⑲ $\begin{array}{r} 27 \\ +\ \ 5 \\ \hline \end{array}$

⑳ $\begin{array}{r} 19 \\ +\ \ 9 \\ \hline \end{array}$

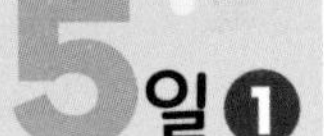

(두 자리 수)+(한 자리 수)

공부한 날	월 일
점수	/ 20

계산해 보세요.

① $12+9=$ ② $53+8=$ ③ $36+8=$

④ $47+5=$ ⑤ $89+7=$ ⑥ $17+4=$

⑦ $67+4=$ ⑧ $26+9=$ ⑨ $33+9=$

⑩ $85+8=$ ⑪ $39+3=$ ⑫ $72+9=$

⑬ $\begin{array}{r} 5\ 7 \\ +\quad 5 \\ \hline \end{array}$ ⑭ $\begin{array}{r} 1\ 7 \\ +\quad 6 \\ \hline \end{array}$ ⑮ $\begin{array}{r} 3\ 5 \\ +\quad 8 \\ \hline \end{array}$ ⑯ $\begin{array}{r} 7\ 8 \\ +\quad 6 \\ \hline \end{array}$

⑰ $\begin{array}{r} 6\ 7 \\ +\quad 6 \\ \hline \end{array}$ ⑱ $\begin{array}{r} 5\ 6 \\ +\quad 5 \\ \hline \end{array}$ ⑲ $\begin{array}{r} 5\ 7 \\ +\quad 3 \\ \hline \end{array}$ ⑳ $\begin{array}{r} 4\ 8 \\ +\quad 7 \\ \hline \end{array}$

5일 ❷

(두 자리 수)+(한 자리 수)

공부한 날	월 일
점 수	/ 20

계산해 보세요.

① $15+9=$ ② $57+6=$ ③ $87+5=$

④ $35+6=$ ⑤ $67+4=$ ⑥ $59+4=$

⑦ $58+9=$ ⑧ $25+7=$ ⑨ $63+8=$

⑩ $82+9=$ ⑪ $43+8=$ ⑫ $88+8=$

⑬ $\begin{array}{r} 17 \\ +\ \ 8 \\ \hline \end{array}$ ⑭ $\begin{array}{r} 35 \\ +\ \ 8 \\ \hline \end{array}$ ⑮ $\begin{array}{r} 28 \\ +\ \ 7 \\ \hline \end{array}$ ⑯ $\begin{array}{r} 87 \\ +\ \ 3 \\ \hline \end{array}$

⑰ $\begin{array}{r} 57 \\ +\ \ 9 \\ \hline \end{array}$ ⑱ $\begin{array}{r} 76 \\ +\ \ 9 \\ \hline \end{array}$ ⑲ $\begin{array}{r} 67 \\ +\ \ 7 \\ \hline \end{array}$ ⑳ $\begin{array}{r} 34 \\ +\ \ 6 \\ \hline \end{array}$

MEMO

4주차

십몇에서 빼기

받아내림이 있는 두 자리 수와 한 자리 수 뺄셈을 공부합니다. 두 자리 수를 몇십과 십몇으로 나누거나, 몇십몇과 십으로 나누어 한 자리 수를 빼는 방법을 익히고, 뺄셈을 연습합니다.

공부한 날! 월 일

수 모형을 보고 □에 알맞은 수를 써넣으세요.

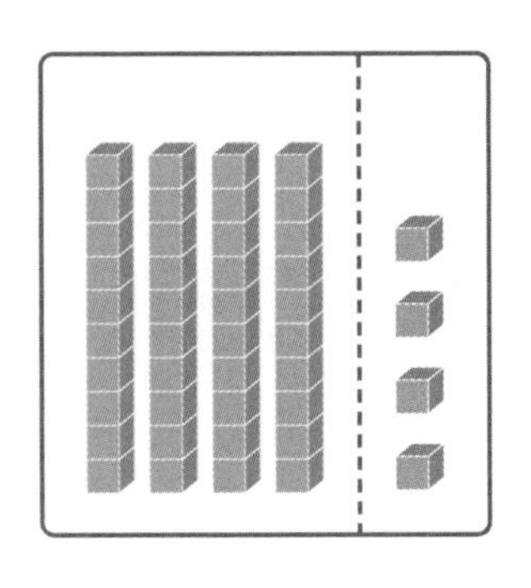

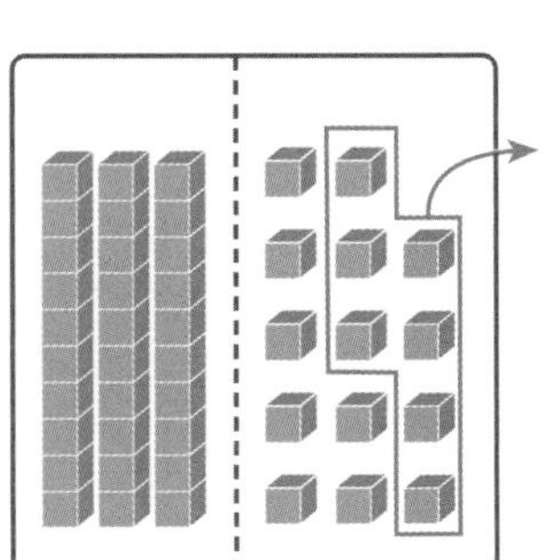

44 - 7 = 30 + 14 - 7 = 37

①

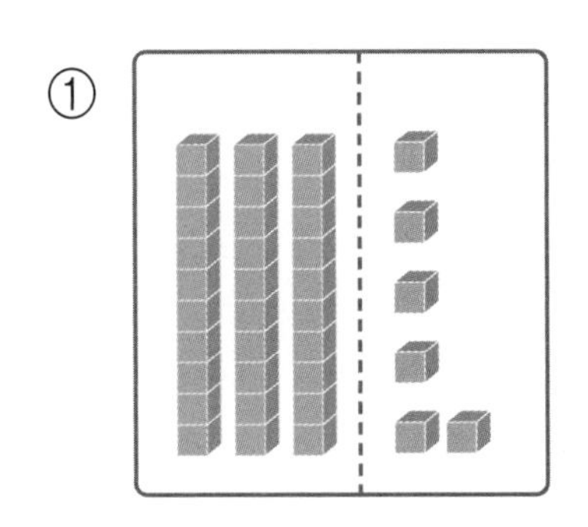

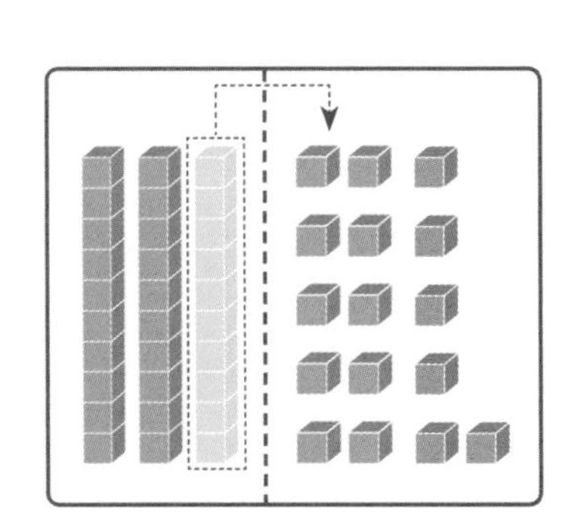

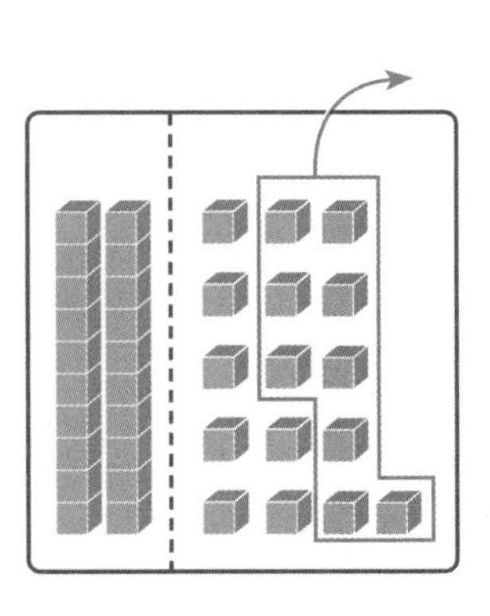

36 - 9 = □ + □ - □ = □

②

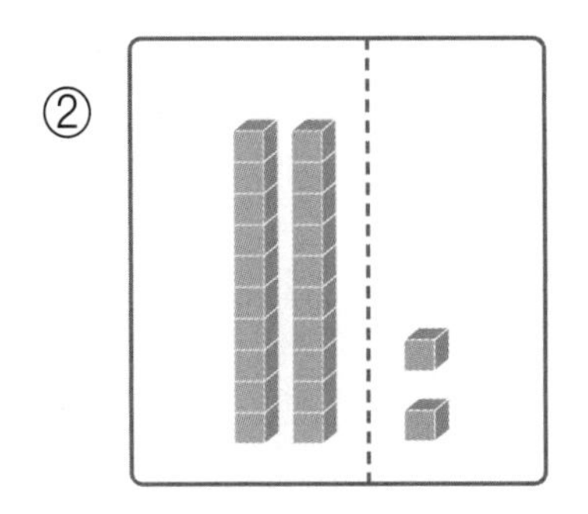

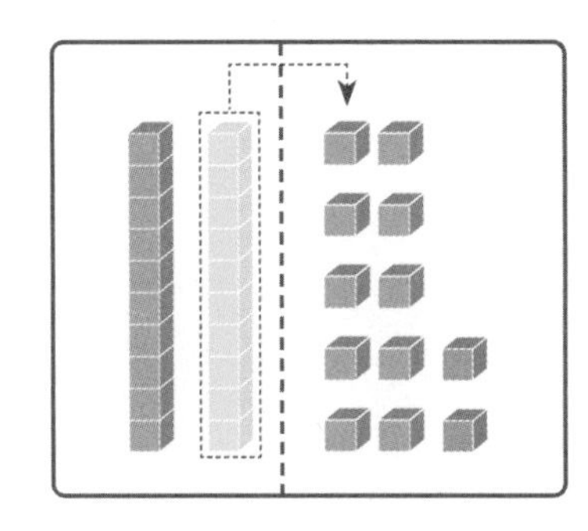

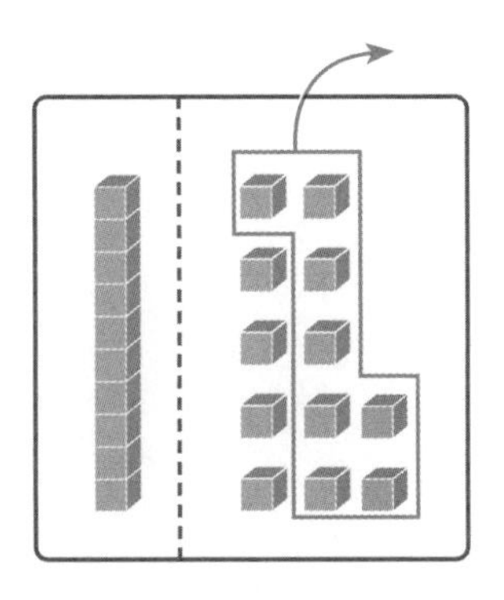

22 - 8 = □ + □ - □ = □

앞의 수를 몇십과 십몇으로 갈라 뺄셈을 해 보세요.

46 - 8

30 + 16 - 8

30 + 8 = 38

①

63 - 7

50 + □ - □

50 + □ = □

②

84 - 8

70 + □ - □

70 + □ = □

③

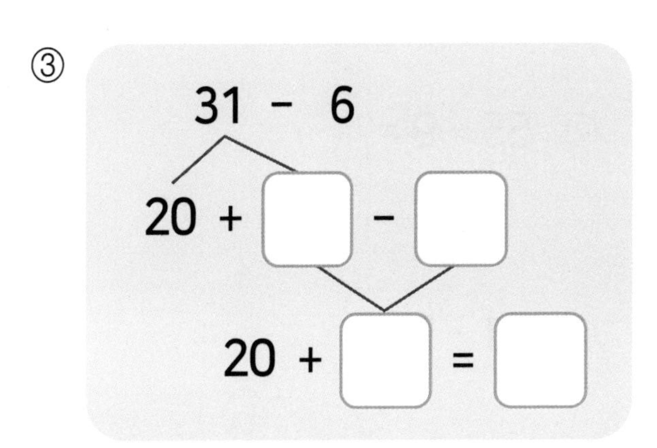

④

54 - 5

40 + □ - □

40 + □ = □

⑤

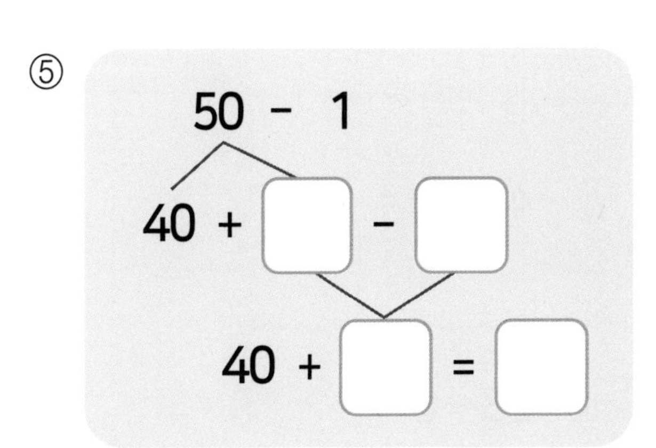

계산해 보세요.

① $43 - 7 =$

(30, 13)

② $52 - 6 =$

③ $21 - 4 =$

④ $36 - 8 =$

⑤ $33 - 8 =$

⑥ $81 - 9 =$

⑦ $55 - 9 =$

⑧ $31 - 8 =$

⑨ $71 - 5 =$

⑩ $75 - 6 =$

⑪ $72 - 3 =$

⑫ $41 - 2 =$

⑬ $43 - 9 =$

⑭ $24 - 5 =$

⑮ $23 - 8 =$

⑯ $85 - 7 =$

10에서 빼기

수 모형을 보고 □에 알맞은 수를 써넣으세요.

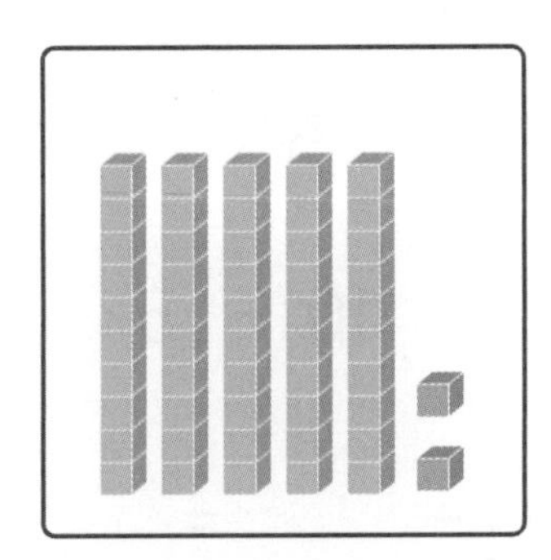

52 - 8 = 42 + 10 - 8 = 44

①

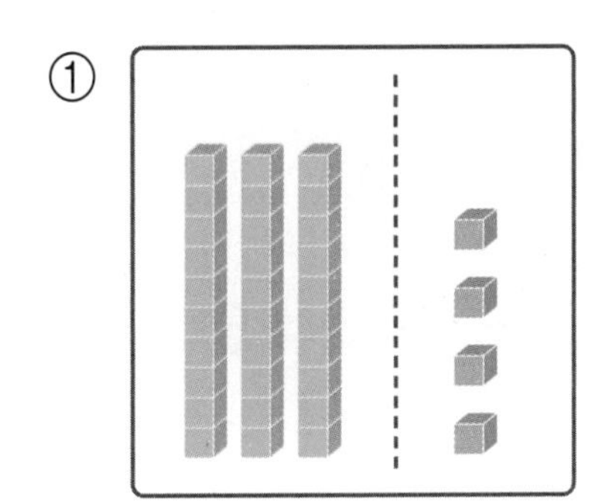

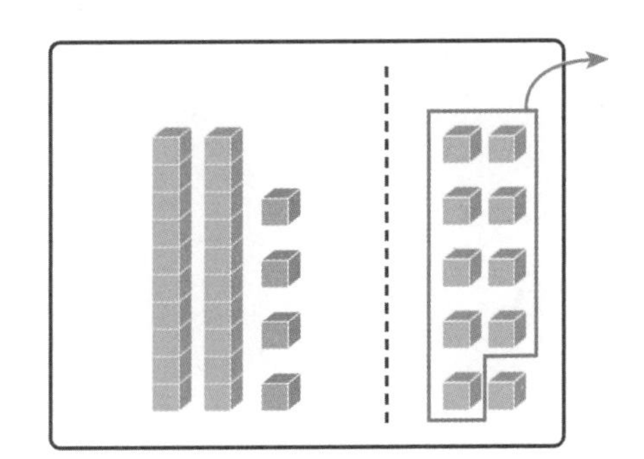

34 - 9 = □ + □ - □ = □

②

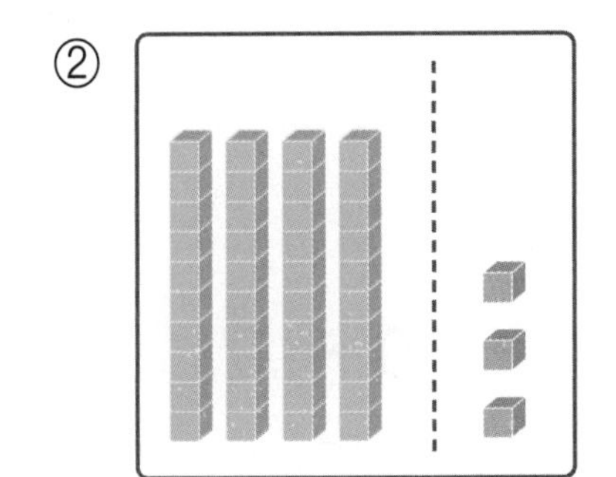

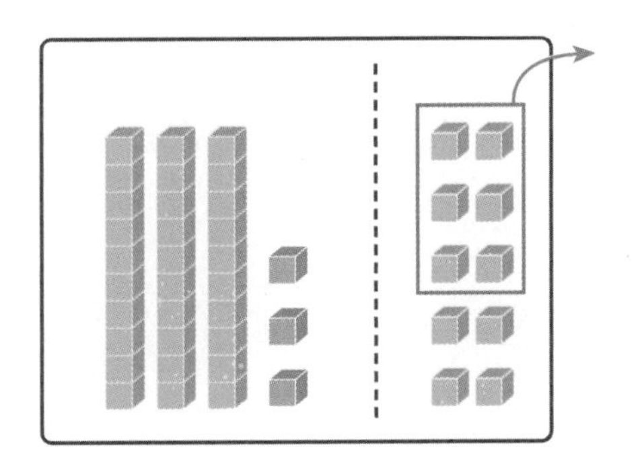

43 - 6 = □ + □ - □ = □

앞의 수를 몇십몇과 십으로 갈라 뺄셈을 해 보세요.

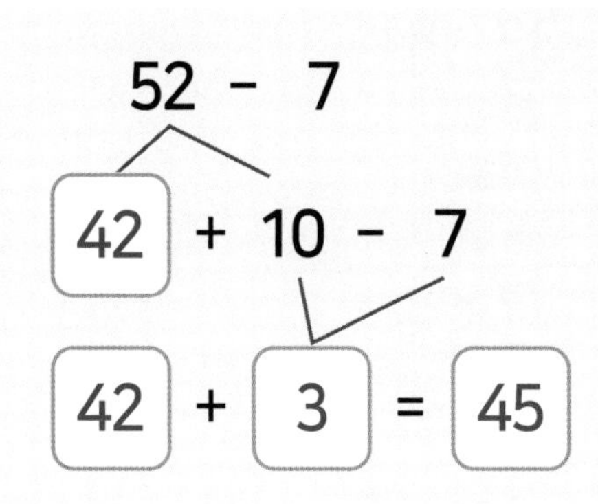

①

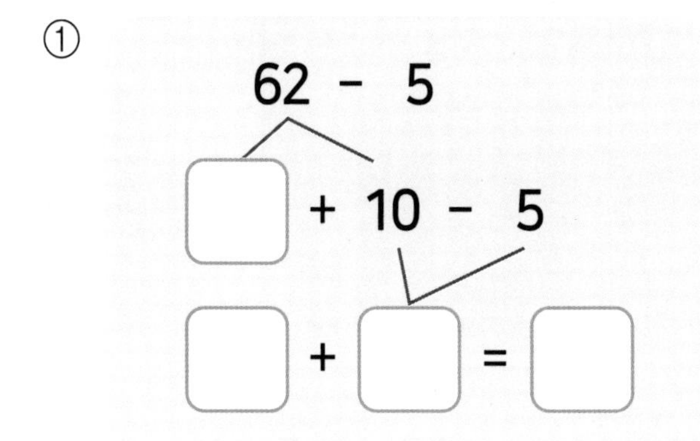

②

74 - 6

[ ] + 10 - 6

[ ] + [ ] = [ ]

③

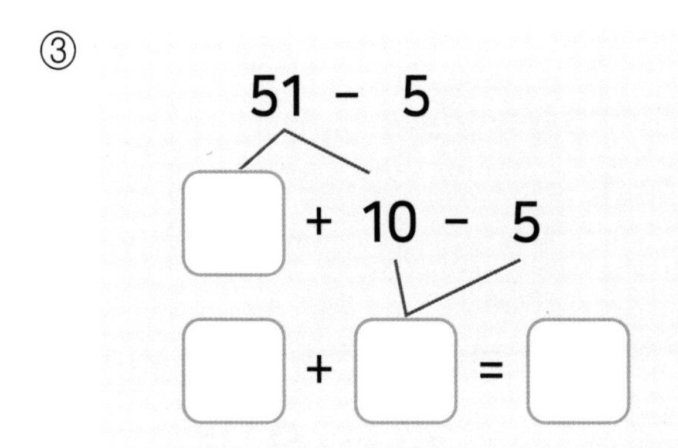

④

46 - 8

[ ] + 10 - 8

[ ] + [ ] = [ ]

⑤

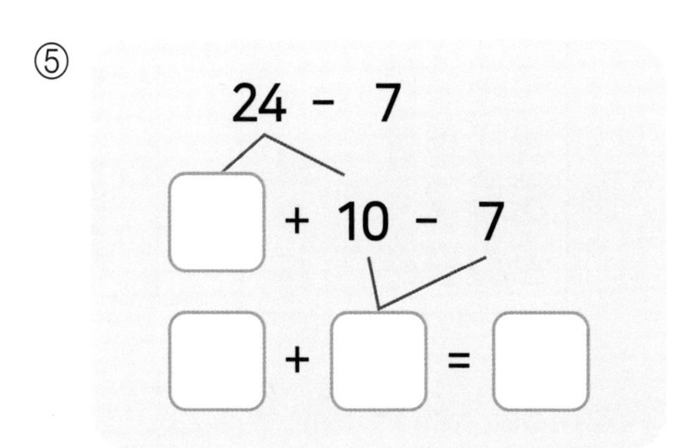

계산해 보세요.

① $63-5=$

② $32-8=$

③ $53-5=$

④ $27-8=$

⑤ $98-9=$

⑥ $48-9=$

⑦ $28-9=$

⑧ $83-5=$

⑨ $21-8=$

⑩ $77-9=$

⑪ $72-5=$

⑫ $76-8=$

⑬ $63-7=$

⑭ $73-4=$

⑮ $86-8=$

⑯ $41-6=$

세로셈

앞의 수를 몇십과 십몇으로 갈라 뺄셈을 해 보세요.

(보기)
$$\begin{array}{r} 33 \\ -\ 8 \\ \hline 25 \end{array} \rightarrow \begin{array}{r|r} 20 & 13 \\ - & 8 \\ \hline 20 & 5 \end{array}$$

① $\begin{array}{r} 62 \\ -\ 6 \\ \hline \square \end{array} \rightarrow \begin{array}{r|r} 50 & 12 \\ - & 6 \\ \hline \square & \square \end{array}$

② $\begin{array}{r} 56 \\ -\ 9 \\ \hline \square \end{array} \rightarrow \begin{array}{r|r} 40 & 16 \\ - & 9 \\ \hline \square & \square \end{array}$

③ $\begin{array}{r} 40 \\ -\ 4 \\ \hline \square \end{array} \rightarrow \begin{array}{r|r} 30 & 10 \\ - & 4 \\ \hline \square & \square \end{array}$

④ $\begin{array}{r} 35 \\ -\ 7 \\ \hline \square \end{array} \rightarrow \begin{array}{r|r} 20 & 15 \\ - & 7 \\ \hline \square & \square \end{array}$

⑤ $\begin{array}{r} 27 \\ -\ 9 \\ \hline \square \end{array} \rightarrow \begin{array}{r|r} 10 & 17 \\ - & 9 \\ \hline \square & \square \end{array}$

⑥ $\begin{array}{r} 73 \\ -\ 5 \\ \hline \square \end{array} \rightarrow \begin{array}{r|r} 60 & 13 \\ - & 5 \\ \hline \square & \square \end{array}$

⑦ $\begin{array}{r} 44 \\ -\ 5 \\ \hline \square \end{array} \rightarrow \begin{array}{r|r} 30 & 14 \\ - & 5 \\ \hline \square & \square \end{array}$

앞의 수를 몇십몇과 십으로 갈라 뺄셈을 해 보세요.

보기

	2 4	→		14	10
−	8		−		8
	1 6	←		14	2

①

	4 3	→		33	10
−	5		−		5
	☐	←		☐	☐

②

	6 3	→		53	10
−	4		−		4
	☐	←		☐	☐

③

	4 5	→		35	10
−	9		−		9
	☐	←		☐	☐

④

	6 2	→		52	10
−	5		−		5
	☐	←		☐	☐

⑤

	2 1	→		11	10
−	4		−		4
	☐	←		☐	☐

⑥

	5 1	→		41	10
−	7		−		7
	☐	←		☐	☐

⑦

	4 6	→		36	10
−	8		−		8
	☐	←		☐	☐

세로셈으로 계산해 보세요.

$$\begin{array}{r} 4\ 3 \\ -\quad 6 \\ \hline \end{array} \rightarrow \begin{array}{r} \overset{3}{\not{4}}\ \overset{10}{3} \\ -\quad 6 \\ \hline 7 \end{array} \rightarrow \begin{array}{r} \overset{3}{\not{4}}\ \overset{10}{3} \\ -\quad 6 \\ \hline 3\ 7 \end{array}$$

① $\begin{array}{r} 2\ 5 \\ -\quad 7 \\ \hline \end{array}$

② $\begin{array}{r} 3\ 5 \\ -\quad 8 \\ \hline \end{array}$

③ $\begin{array}{r} 5\ 2 \\ -\quad 3 \\ \hline \end{array}$

④ $\begin{array}{r} 5\ 2 \\ -\quad 6 \\ \hline \end{array}$

⑤ $\begin{array}{r} 2\ 0 \\ -\quad 6 \\ \hline \end{array}$

⑥ $\begin{array}{r} 4\ 5 \\ -\quad 7 \\ \hline \end{array}$

⑦ $\begin{array}{r} 8\ 2 \\ -\quad 9 \\ \hline \end{array}$

⑧ $\begin{array}{r} 2\ 8 \\ -\quad 9 \\ \hline \end{array}$

⑨ $\begin{array}{r} 2\ 2 \\ -\quad 4 \\ \hline \end{array}$

⑩ $\begin{array}{r} 6\ 1 \\ -\quad 4 \\ \hline \end{array}$

⑪ $\begin{array}{r} 3\ 4 \\ -\quad 8 \\ \hline \end{array}$

⑫ $\begin{array}{r} 8\ 1 \\ -\quad 5 \\ \hline \end{array}$

연산 퍼즐

이웃한 수의 합을 아래에 쓰는 규칙으로 수를 적었습니다. 빈 곳에 알맞은 수를 써넣으세요.

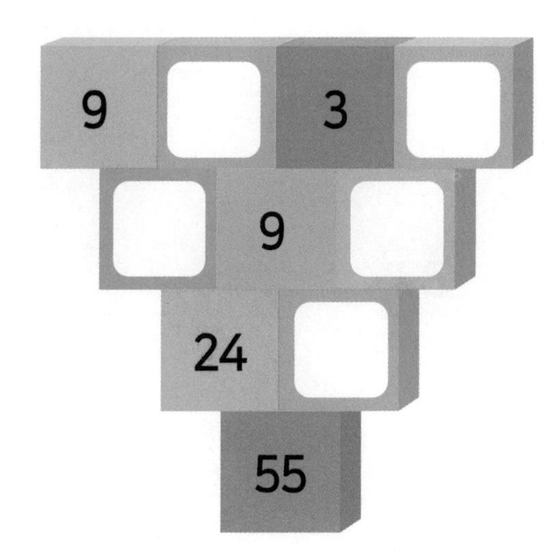

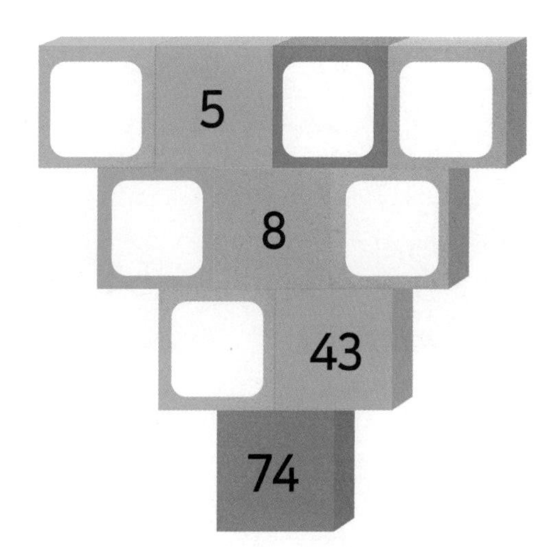

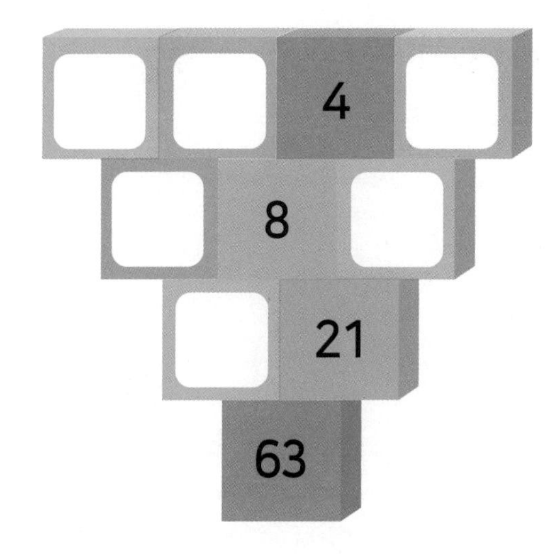

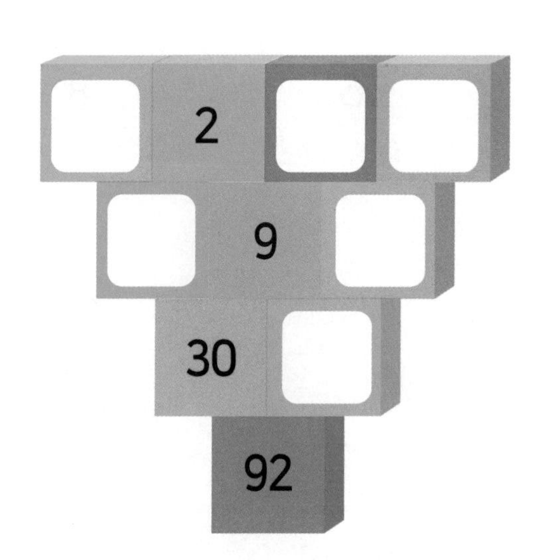

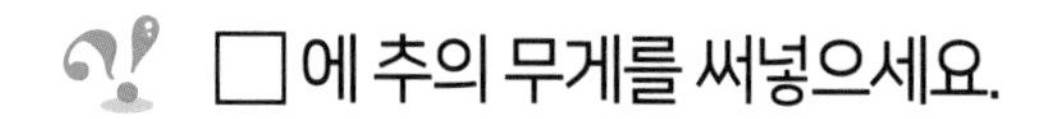

□에 추의 무게를 써넣으세요.

①
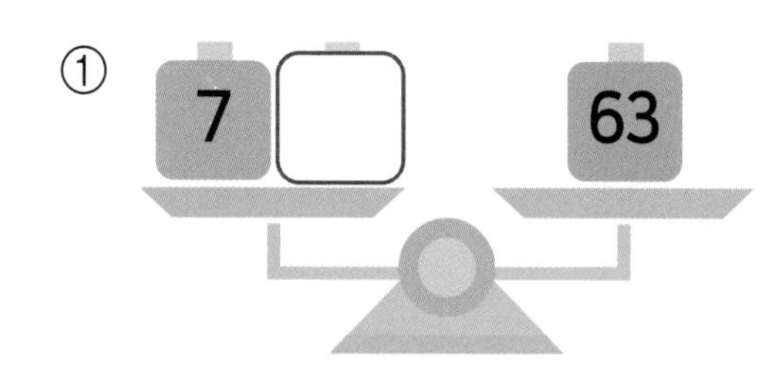

②
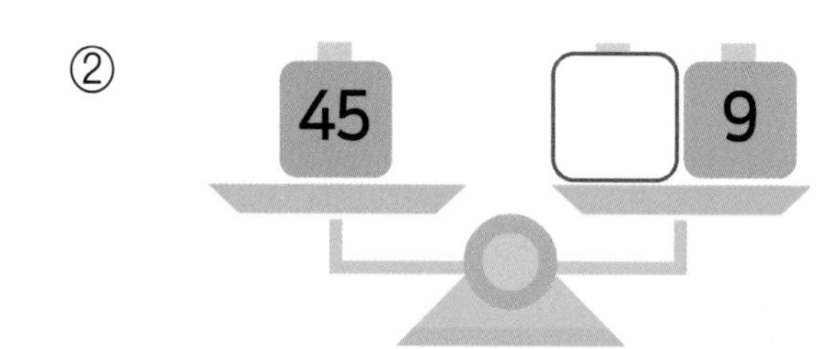

③
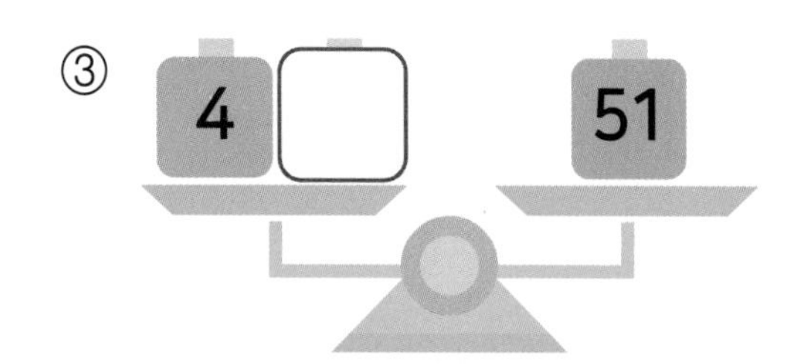

④
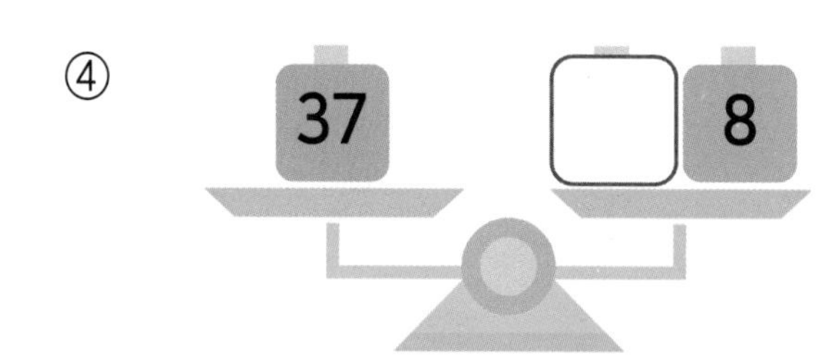

⑤
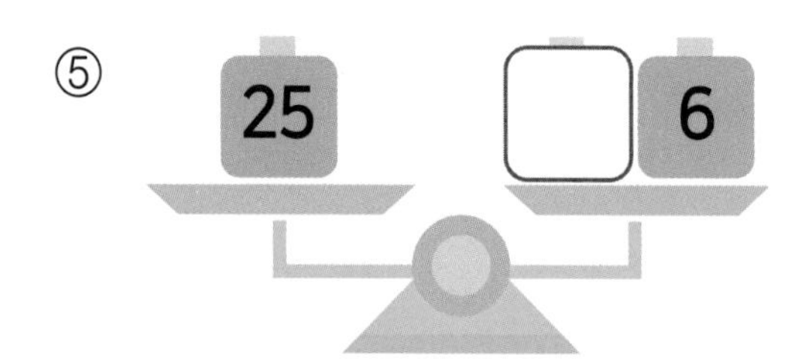

⑥
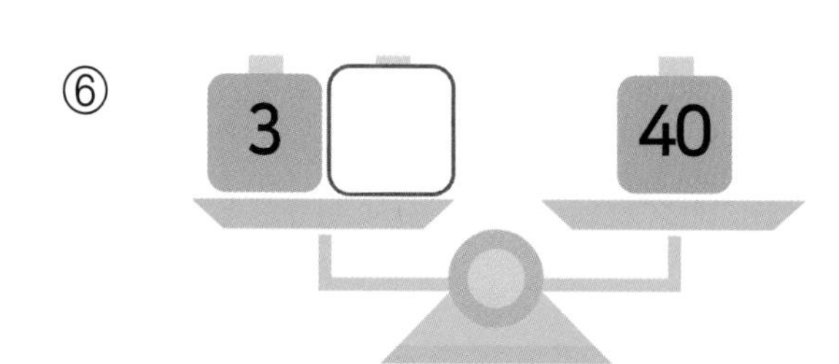

⑦
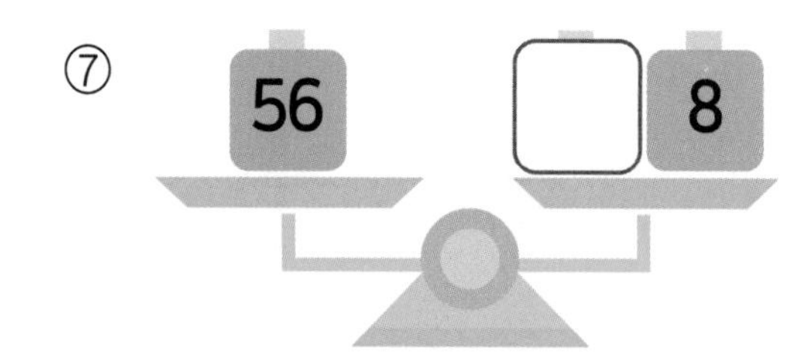

⑧
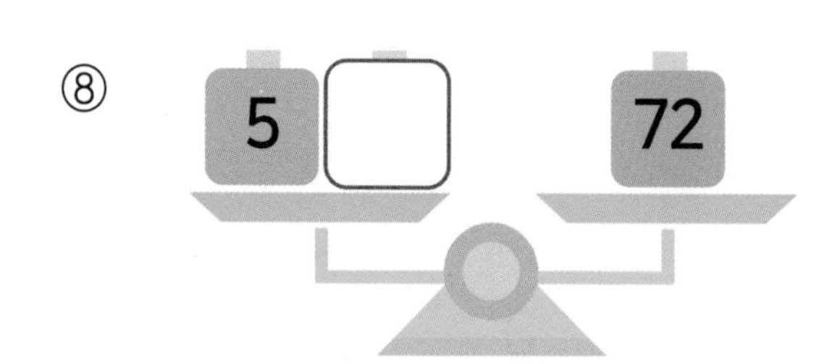

⑨
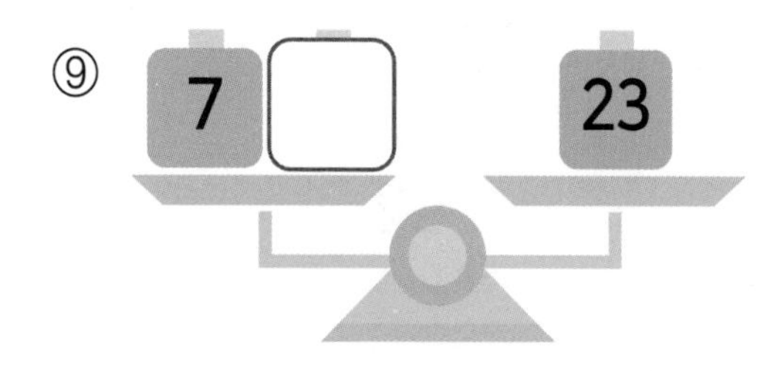

⑩
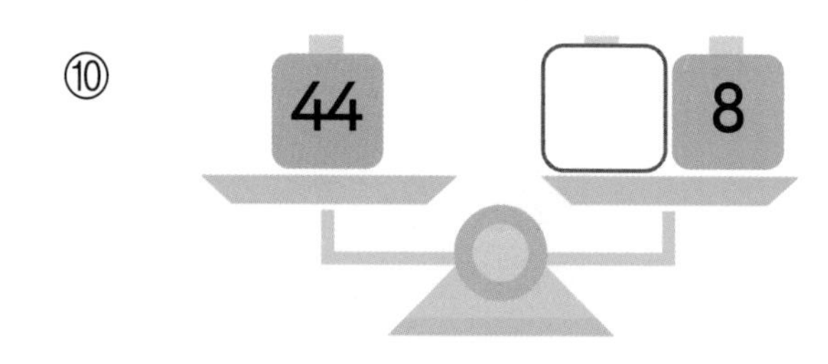

문장제

글과 그림을 보고 알맞은 식을 세우고 답을 구하세요.

운동회에서 빨간색 풍선 20개와 파란색 풍선 21개를 날리려고 준비했는데 풍선을 불다가 빨간색 풍선 5개와 파란색 풍선 7개가 터져 버렸습니다.

★ 터지지 않은 빨간색 풍선은 몇 개일까요?

식: 20 - 5 = 15 답: 15 개

① 터지지 않은 파란색 풍선은 몇 개일까요?

식: ______ 답: ____ 개

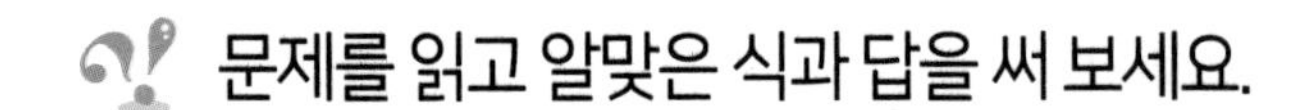

문제를 읽고 알맞은 식과 답을 써 보세요.

① 민정이는 색연필 28자루를 가지고 있다가 9자루를 친구들 몇 명에게 나누어 주었습니다. 민정이에게 남은 색연필은 몇 자루일까요?

식 : ______________________ 답 : ______ 자루

② 아버지께서 붕어빵 22개를 사 오셔서 동생과 함께 7개를 먹었습니다. 남은 붕어빵은 몇 개일까요?

식 : ______________________ 답 : ______ 개

문제를 읽고 알맞은 식과 답을 써 보세요.

① 집에 가족들 양말이 31켤레가 있었는데 오래 신은 양말 7켤레를 의류 수거함에 넣었습니다. 집에 남은 양말은 몇 켤레일까요?

식 : ______________________ 답 : ______ 켤레

② 어머니께서 약과 26개를 사 오셔서 동생과 함께 8개를 먹었습니다. 남은 약과는 몇 개일까요?

식 : ______________________ 답 : ______ 개

③ 좌석이 76개인 극장에 8자리가 비어 있습니다. 좌석에 앉아 있는 사람은 모두 몇 명일까요?

식 : ______________________ 답 : ______ 명

문제를 읽고 알맞은 식과 답을 써 보세요.

① 보현이는 구슬 43개를 가지고 있다가 친구에게 8개를 나누어 주었습니다. 보현이에게 남은 구슬은 몇 개일까요?

식 : ______________________ 답 : ______ 개

② 독서 퀴즈 대회를 했는데 30문제 중에 민수는 22문제, 상철이는 9문제를 풀었습니다. 민수는 상철이보다 몇 문제를 더 풀었을까요?

식 : ______________________ 답 : ______ 문제

③ 미진이는 84쪽인 책을 8쪽까지 읽었습니다. 끝까지 읽으려면 몇 쪽을 더 읽어야 할까요?

식 : ______________________ 답 : ______ 쪽

5주차

몇십 만들어 빼기

받아내림이 있는 두 자리 수와 한 자리 수 뺄셈에서 두 자리 수의 일의 자리 수와 한 자리 수의 차가 작을 때 일의 자리 수를 가르기하여 두 자리 수를 몇십이 되도록 빼고, 남은 수를 빼는 원리를 공부하고 뺄셈을 연습하도록 하였습니다.

몇십 만들어 빼기

수 모형을 보고 □에 알맞은 수를 써넣으세요.

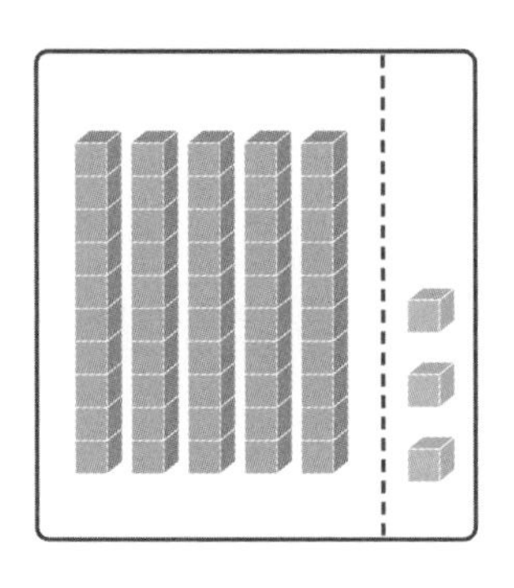 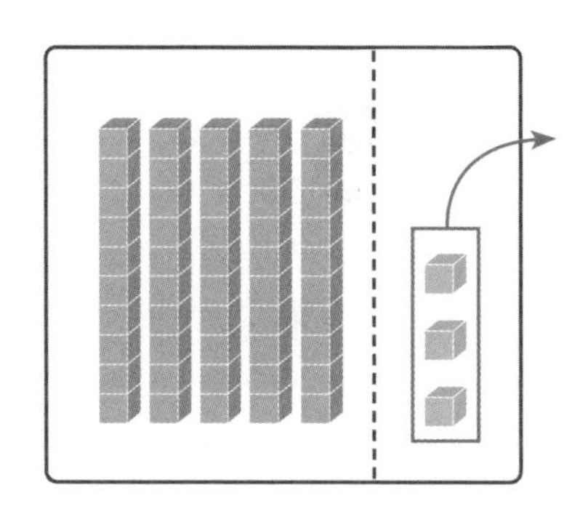 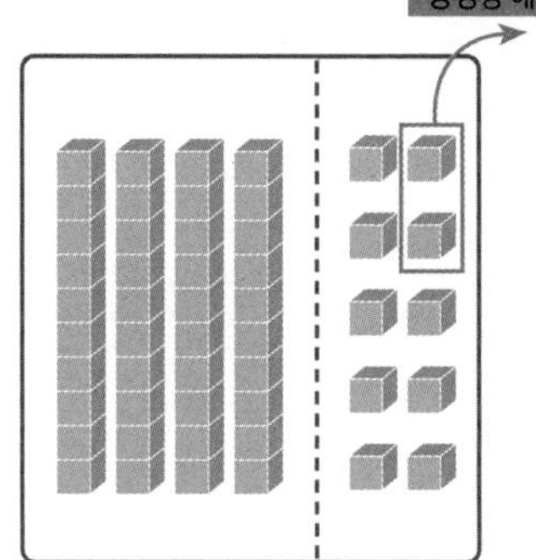

53 - 5 = 53 - [3] - [2] = [48]

①

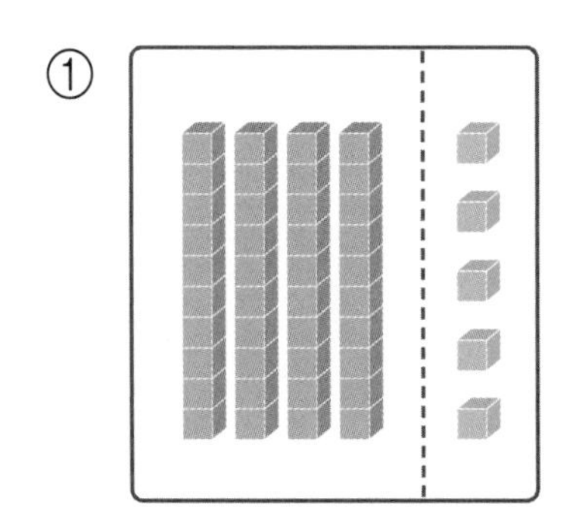 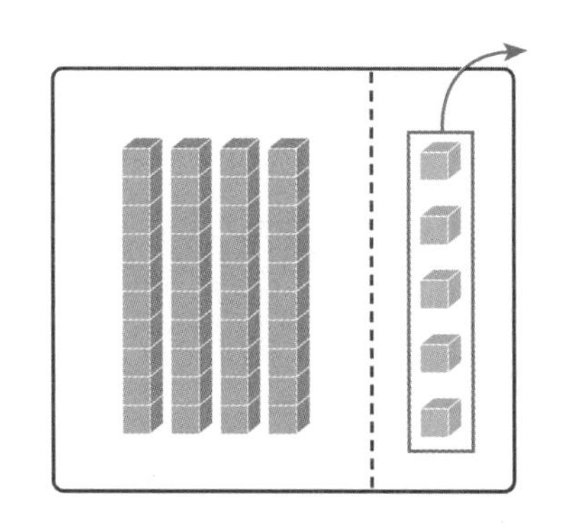 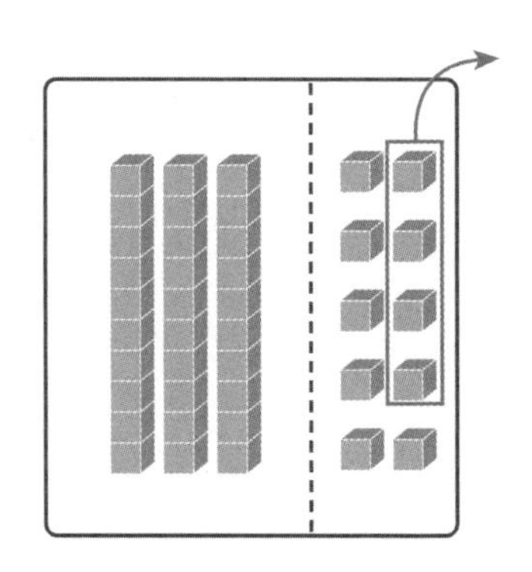

45 - 9 = 45 - □ - □ = □

②

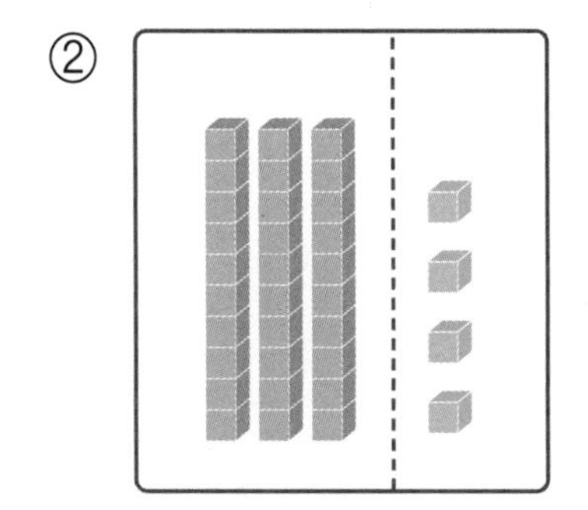 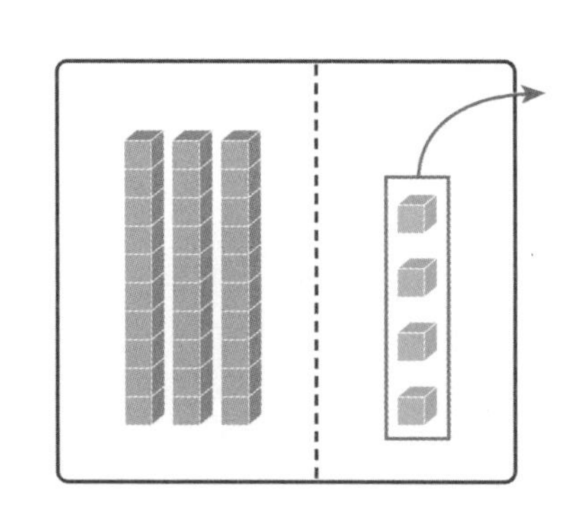 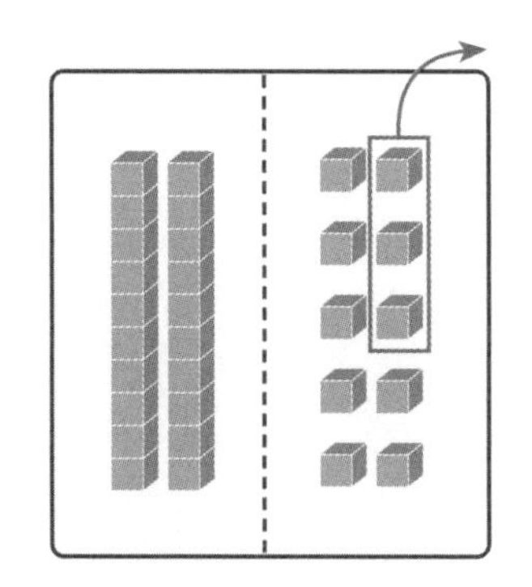

34 - 7 = 34 - □ - □ = □

뒤의 수를 갈라 앞의 수를 몇십으로 만들어 뺄셈을 해 보세요.

36 - 8

36 - [6] - [2]

30 - [2] = [28]

① 45 - 7

45 - [ ] - [ ]

40 - [ ] = [ ]

② 53 - 6

53 - [ ] - [ ]

50 - [ ] = [ ]

③ 27 - 9

27 - [ ] - [ ]

20 - [ ] = [ ]

④ 55 - 8

55 - [ ] - [ ]

50 - [ ] = [ ]

⑤ 26 - 9

26 - [ ] - [ ]

20 - [ ] = [ ]

계산해 보세요.

① $42 - 5 =$

(5를 2와 3으로 가르기)

② $55 - 7 =$

③ $67 - 8 =$

④ $26 - 8 =$

⑤ $33 - 4 =$

⑥ $92 - 9 =$

⑦ $56 - 7 =$

⑧ $34 - 6 =$

⑨ $77 - 9 =$

⑩ $62 - 5 =$

⑪ $41 - 5 =$

⑫ $47 - 9 =$

⑬ $23 - 6 =$

⑭ $61 - 5 =$

⑮ $77 - 8 =$

⑯ $36 - 7 =$

두 수의 차

공부한 날! 월 일

두 수의 차를 구해서 빈 곳에 써넣으세요.

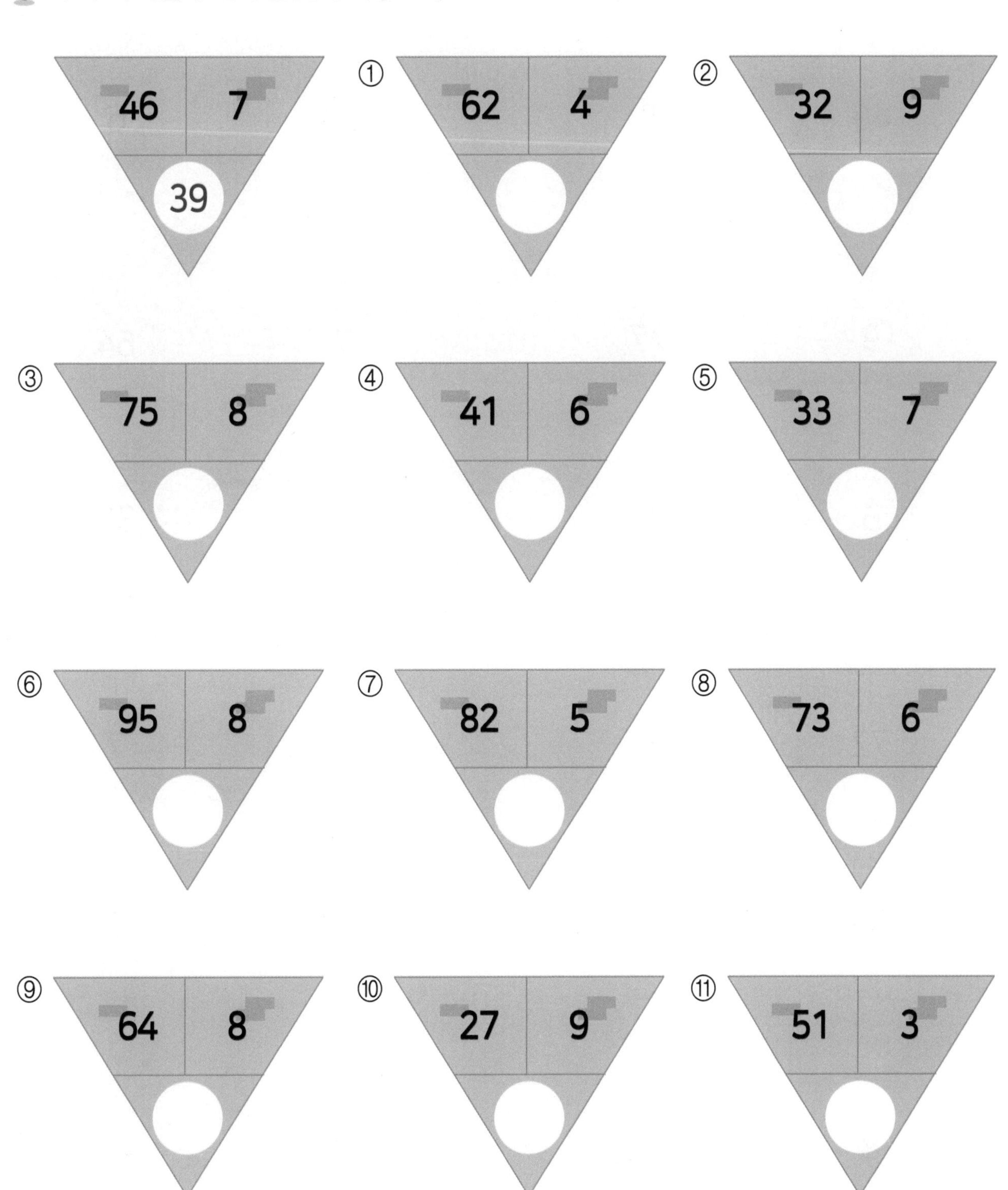

◯에 이웃한 두 수의 차를 써넣으세요.

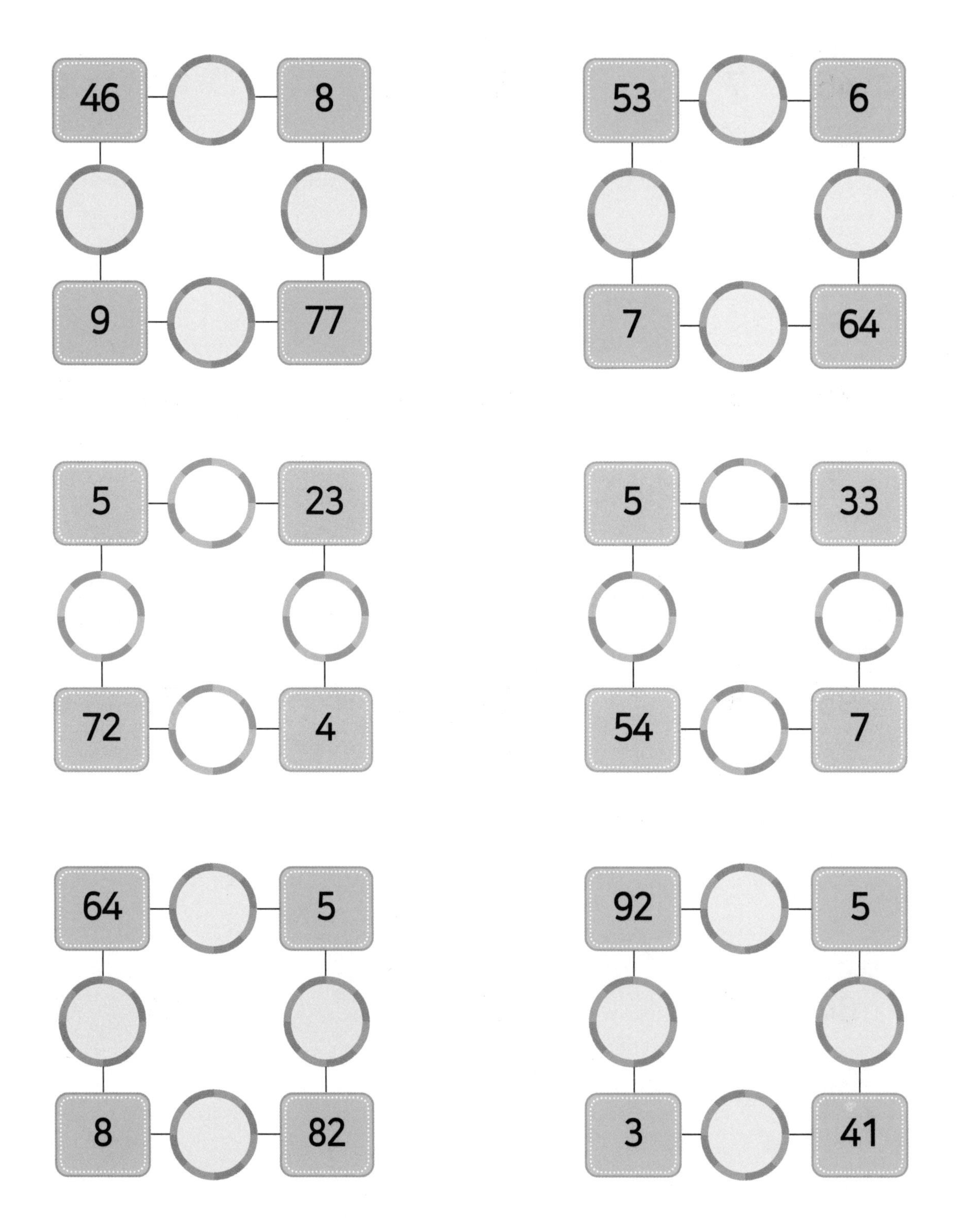

사다리셈

사다리를 타면서 계산하여 빈 곳에 알맞은 수를 써넣으세요.

①
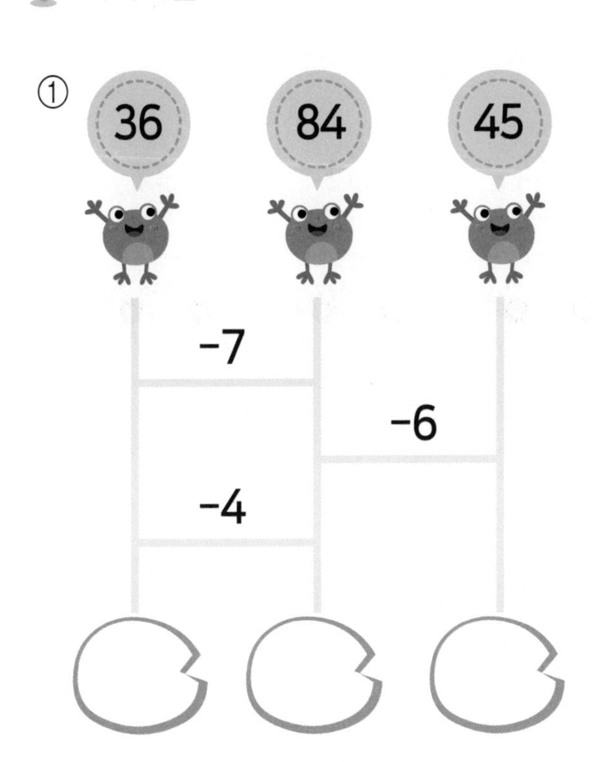

②
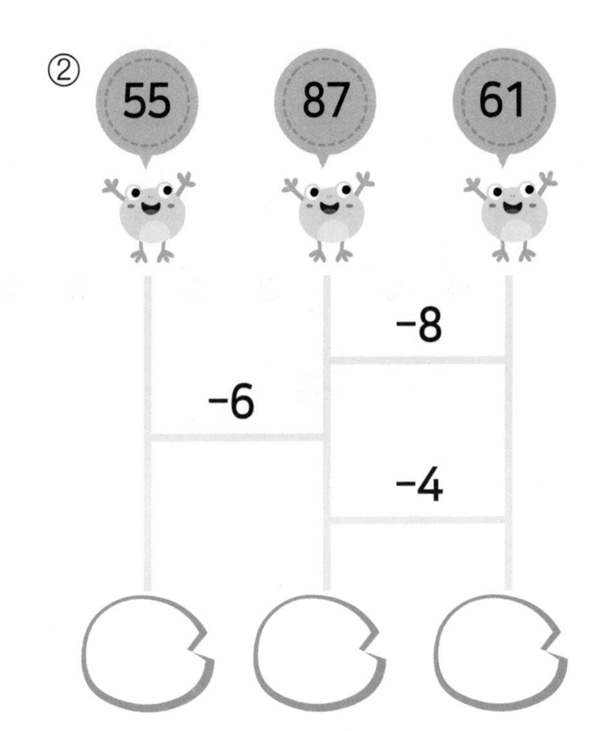

③
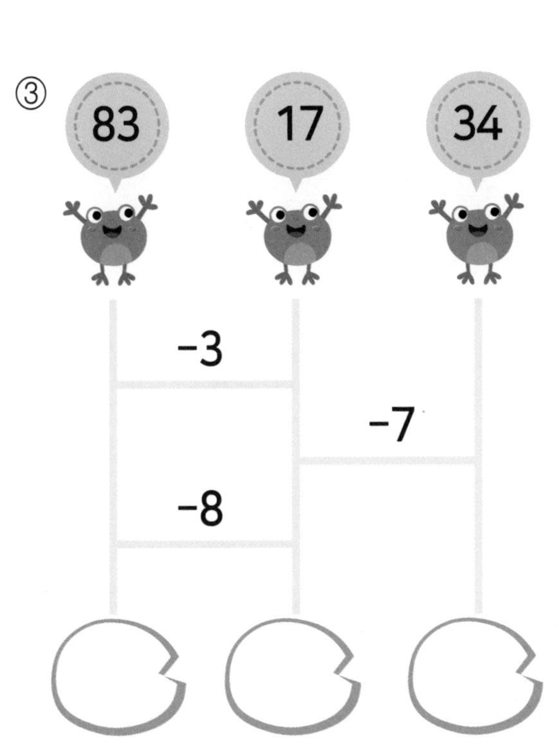

④
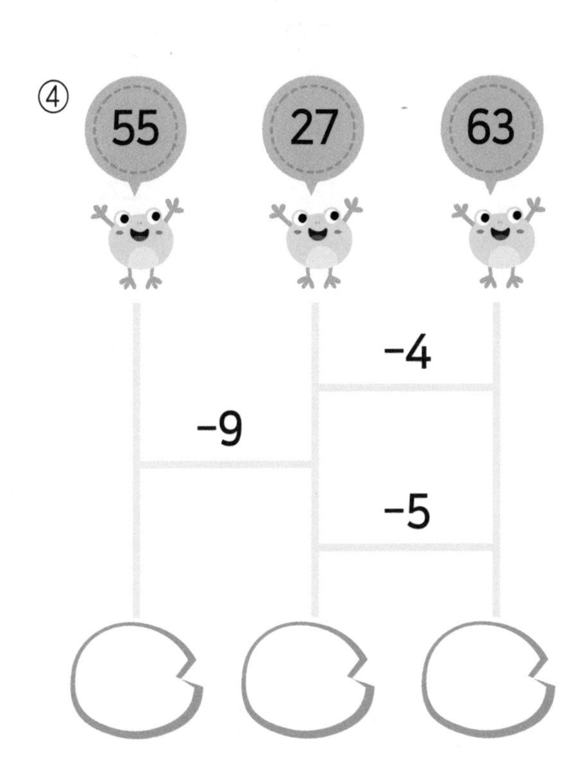

사다리를 타면서 계산하여 빈 곳에 알맞은 수를 써넣으세요.

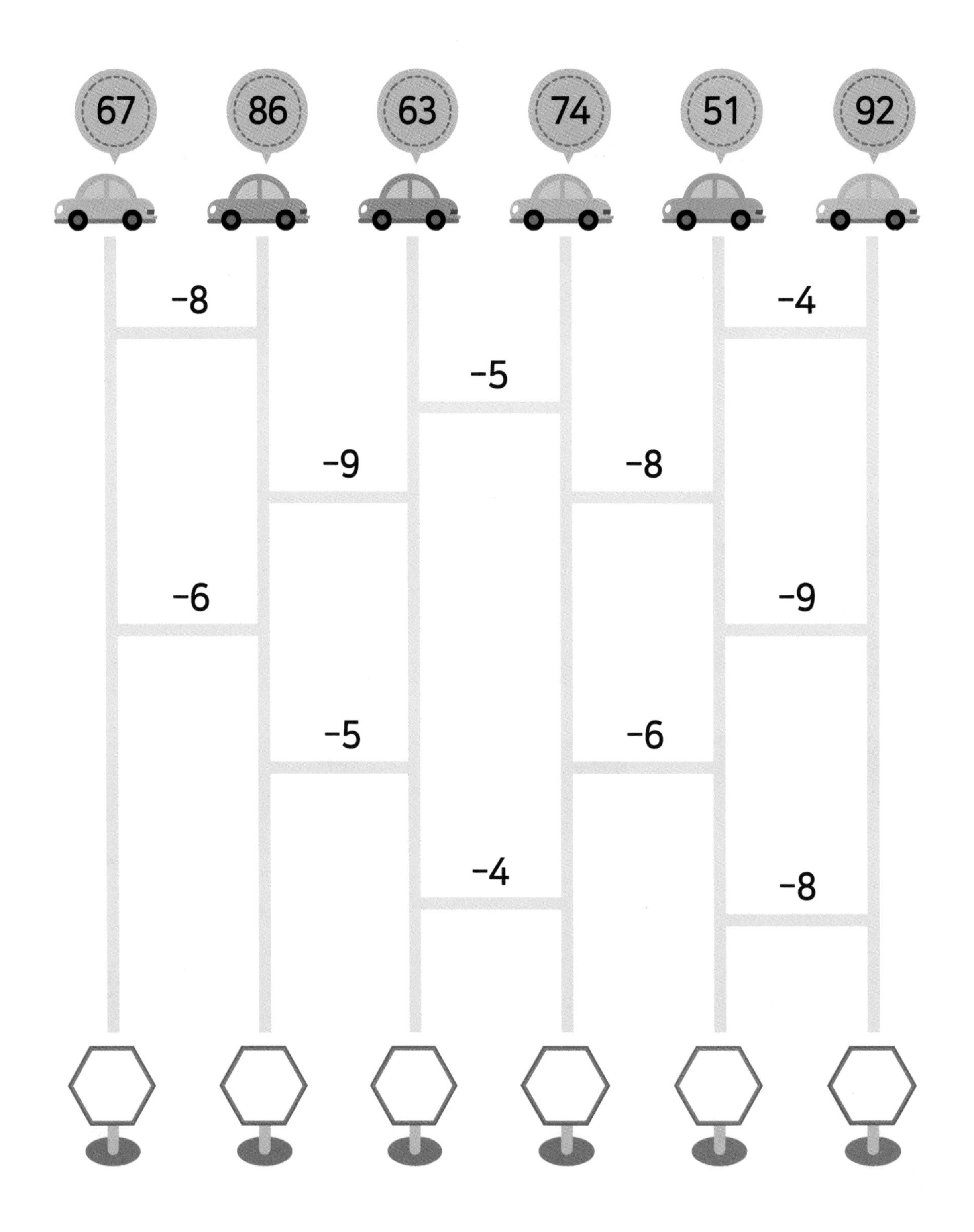

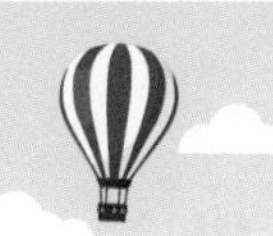

사다리를 타면서 계산하여 빈 곳에 알맞은 수를 써넣으세요.

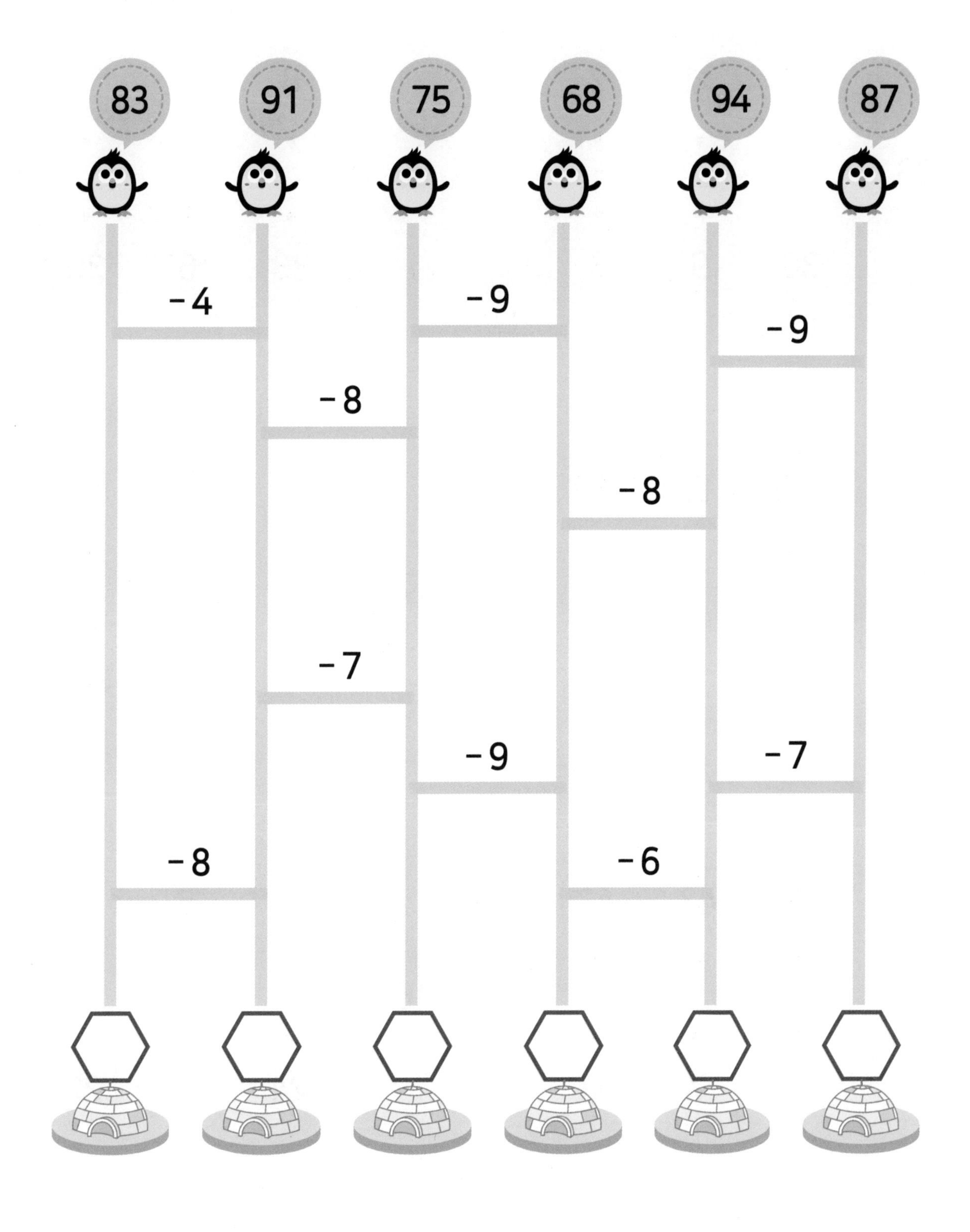

4일 연산 퍼즐

공부한 날! 월 일

차가 ◯ 안의 수가 되는 두 수를 모두 선으로 이어 보세요.

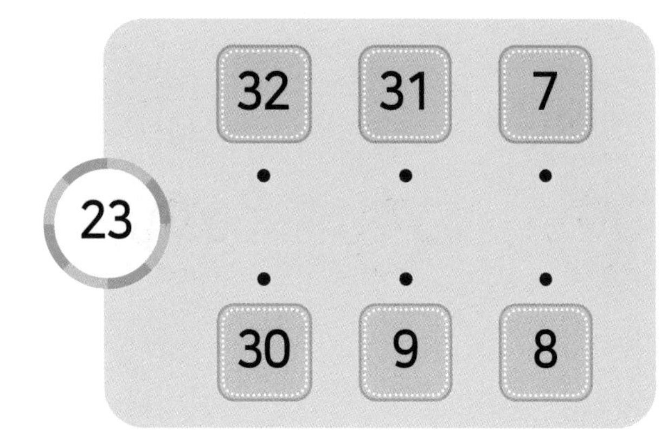

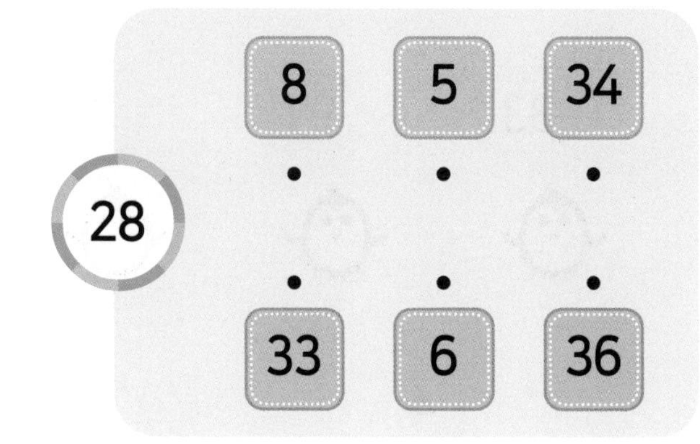

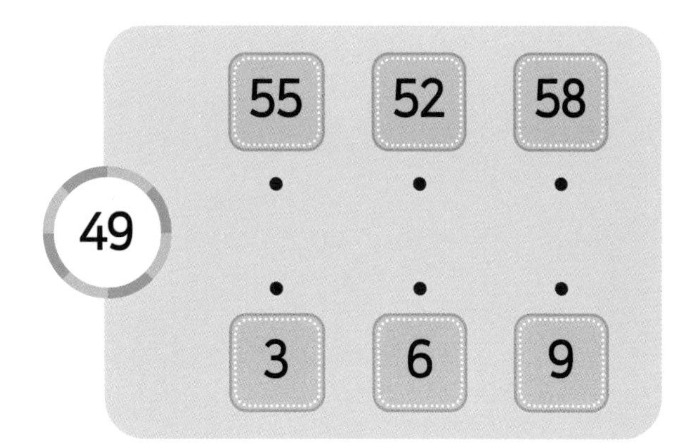

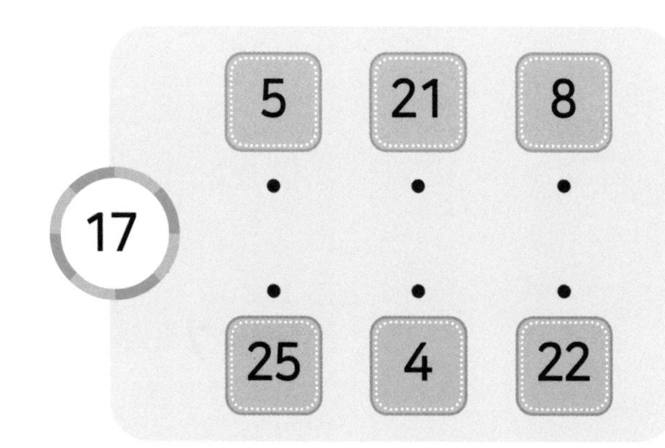

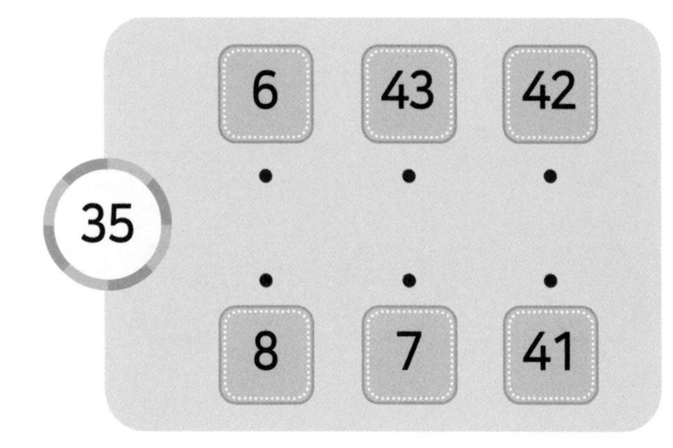

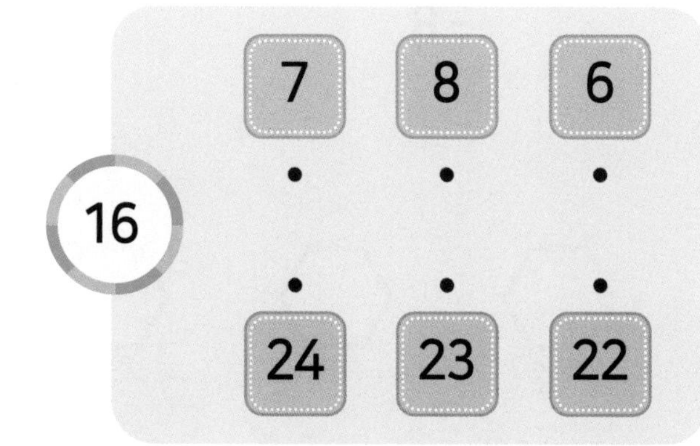

계산 결과에 알맞게 선을 이어 보세요.

35 - 7	28	26 - 9
24 - 7	36	31 - 5
49 - 6	45	32 - 4
42 - 6	17	50 - 5
52 - 7	35	20 - 6
34 - 8	43	51 - 8
44 - 9	26	38 - 3
21 - 7	14	45 - 9

두 수의 차를 따라서 길을 그려 보세요.

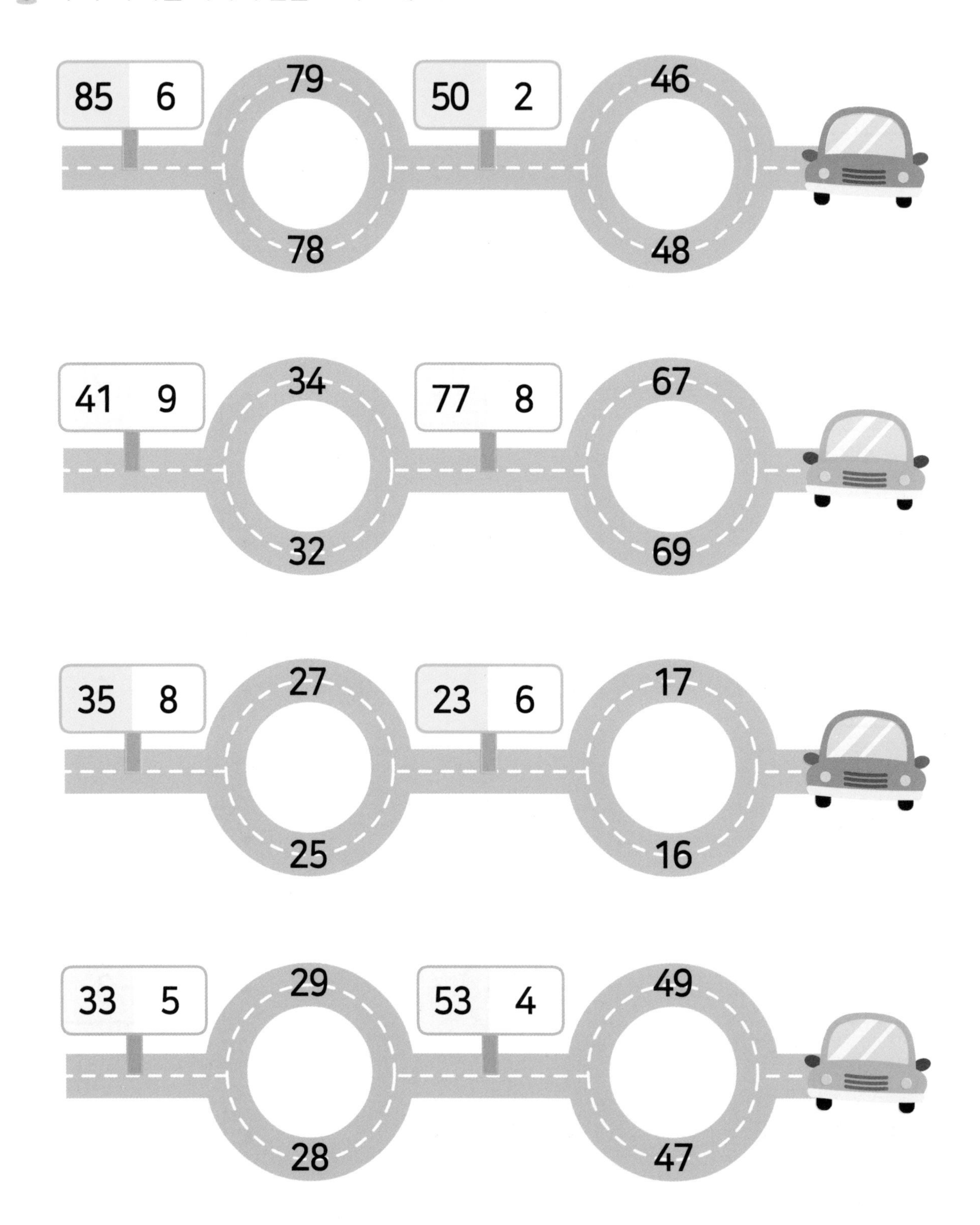

공부한 날! 월 일

문장제

글과 그림을 보고 질문에 알맞은 식을 세우고 답을 구하세요.

철호는 파란색 색연필이 23자루, 초록색 색연필이 24자루가 진열되어 있는 문구점에서 파란색 색연필과 초록색 색연필을 각각 5자루씩 구입했습니다.

★ 문구점에 남아 있는 파란색 색연필은 몇 자루일까요?

식 : 23 - 5 = 18　　　　답 : 18 자루

① 문구점에 남아 있는 초록색 색연필은 몇 자루일까요?

식 : ____________　　　　답 : ____ 자루

문제를 읽고 알맞은 식과 답을 써 보세요.

① 승희는 오이밭을 하시는 할머니댁에 가서 일손을 도와드렸습니다. 오이 33개를 땄는데 도중 목이 말라 4개를 먹었습니다. 승희가 딴 오이는 몇 개가 남았을까요?

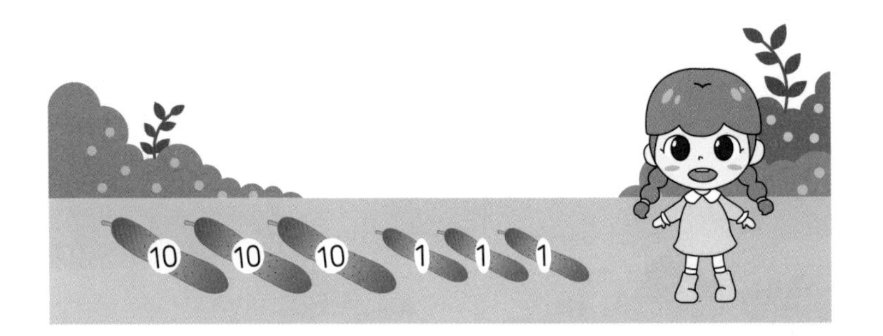

식 : ______________________ 답 : ______ 개

② 민성이는 수학 시험을 봤는데 90점을 맞았고 총 20문제 중에서 2문제를 틀렸습니다. 민성이가 맞은 문제는 몇 문제일까요?

식 : ______________________ 답 : ______ 문제

문제를 읽고 알맞은 식과 답을 써 보세요.

① 철호네 반 학생은 31명인데 그 중 9명이 안경을 썼습니다. 철호네 반에서 안경을 쓰지 않은 학생은 몇 명일까요?

식 : ______________________ 답 : ______ 명

② 여객선에 53명이 타고 있는데 이 중 초등학생은 8명입니다. 여객선에 타고 있는 사람 중 초등학생이 아닌 사람은 몇 명일까요?

식 : ______________________ 답 : ______ 명

③ 음식점에 들어갈 때 신발이 23켤레가 있었는데 나올 때 보니 5켤레만 남았습니다. 신고 나간 신발은 몇 켤레일까요?

식 : ______________________ 답 : ______ 켤레

문제를 읽고 알맞은 식과 답을 써 보세요.

① 초콜릿 한 봉지에 초콜릿이 40개가 들어 있습니다. 초콜릿 한 봉지를 뜯어 8개를 먹는다면 봉지에 남은 초콜릿은 몇 개일까요?

식 : ______________________ 답 : ________ 개

② 민수와 성규가 눈싸움을 하는데 민수는 35개, 성규는 9개의 눈덩이를 만들었습니다. 민수는 성규보다 몇 개의 눈덩이를 더 가지고 있을까요?

식 : ______________________ 답 : ________ 개

③ 혜진이는 생일 파티의 초대를 위해 22장의 초대장을 만들고 5명에게 초대장을 전달했습니다. 남은 초대장은 몇 장일까요?

식 : ______________________ 답 : ________ 장

6주차

도전! 계산왕

(두 자리 수)-(한 자리 수)

계산해 보세요.

① $56-9=$

② $26-7=$

③ $31-6=$

④ $20-5=$

⑤ $60-8=$

⑥ $42-9=$

⑦ $63-6=$

⑧ $15-8=$

⑨ $27-9=$

⑩ $32-9=$

⑪ $54-9=$

⑫ $72-4=$

⑬ $\begin{array}{r} 27 \\ -\ \ 8 \\ \hline \end{array}$

⑭ $\begin{array}{r} 22 \\ -\ \ 9 \\ \hline \end{array}$

⑮ $\begin{array}{r} 65 \\ -\ \ 7 \\ \hline \end{array}$

⑯ $\begin{array}{r} 94 \\ -\ \ 6 \\ \hline \end{array}$

⑰ $\begin{array}{r} 50 \\ -\ \ 7 \\ \hline \end{array}$

⑱ $\begin{array}{r} 56 \\ -\ \ 8 \\ \hline \end{array}$

⑲ $\begin{array}{r} 17 \\ -\ \ 8 \\ \hline \end{array}$

⑳ $\begin{array}{r} 23 \\ -\ \ 8 \\ \hline \end{array}$

1일 ❷

(두 자리 수)-(한 자리 수)

공부한 날	월 일
점수	/ 20

계산해 보세요.

① $18-9=$ ② $42-8=$ ③ $58-9=$

④ $25-7=$ ⑤ $42-9=$ ⑥ $15-9=$

⑦ $32-8=$ ⑧ $65-9=$ ⑨ $24-9=$

⑩ $11-6=$ ⑪ $22-5=$ ⑫ $33-8=$

⑬ $\begin{array}{r} 41 \\ -\ \ 9 \\ \hline \end{array}$ ⑭ $\begin{array}{r} 70 \\ -\ \ 3 \\ \hline \end{array}$ ⑮ $\begin{array}{r} 83 \\ -\ \ 8 \\ \hline \end{array}$ ⑯ $\begin{array}{r} 54 \\ -\ \ 5 \\ \hline \end{array}$

⑰ $\begin{array}{r} 30 \\ -\ \ 4 \\ \hline \end{array}$ ⑱ $\begin{array}{r} 95 \\ -\ \ 6 \\ \hline \end{array}$ ⑲ $\begin{array}{r} 93 \\ -\ \ 8 \\ \hline \end{array}$ ⑳ $\begin{array}{r} 24 \\ -\ \ 8 \\ \hline \end{array}$

(두 자리 수)-(한 자리 수)

공부한 날	월 일
점 수	/ 20

계산해 보세요.

① $27 - 9 =$

② $61 - 9 =$

③ $24 - 8 =$

④ $61 - 7 =$

⑤ $32 - 9 =$

⑥ $65 - 7 =$

⑦ $25 - 9 =$

⑧ $43 - 7 =$

⑨ $14 - 6 =$

⑩ $20 - 8 =$

⑪ $24 - 9 =$

⑫ $54 - 9 =$

⑬ $\begin{array}{r} 46 \\ -\ \ 7 \\ \hline \end{array}$

⑭ $\begin{array}{r} 87 \\ -\ \ 9 \\ \hline \end{array}$

⑮ $\begin{array}{r} 56 \\ -\ \ 9 \\ \hline \end{array}$

⑯ $\begin{array}{r} 61 \\ -\ \ 9 \\ \hline \end{array}$

⑰ $\begin{array}{r} 77 \\ -\ \ 9 \\ \hline \end{array}$

⑱ $\begin{array}{r} 50 \\ -\ \ 1 \\ \hline \end{array}$

⑲ $\begin{array}{r} 23 \\ -\ \ 5 \\ \hline \end{array}$

⑳ $\begin{array}{r} 38 \\ -\ \ 9 \\ \hline \end{array}$

(두 자리 수)−(한 자리 수)

공부한 날	월 일
점수	/ 20

계산해 보세요.

① $71 - 4 =$

② $54 - 5 =$

③ $20 - 2 =$

④ $61 - 8 =$

⑤ $24 - 7 =$

⑥ $17 - 9 =$

⑦ $43 - 7 =$

⑧ $25 - 8 =$

⑨ $31 - 6 =$

⑩ $24 - 8 =$

⑪ $35 - 9 =$

⑫ $75 - 9 =$

⑬ $\begin{array}{r} 21 \\ -\ \ 4 \\ \hline \end{array}$

⑭ $\begin{array}{r} 12 \\ -\ \ 6 \\ \hline \end{array}$

⑮ $\begin{array}{r} 70 \\ -\ \ 2 \\ \hline \end{array}$

⑯ $\begin{array}{r} 53 \\ -\ \ 5 \\ \hline \end{array}$

⑰ $\begin{array}{r} 81 \\ -\ \ 2 \\ \hline \end{array}$

⑱ $\begin{array}{r} 62 \\ -\ \ 6 \\ \hline \end{array}$

⑲ $\begin{array}{r} 45 \\ -\ \ 9 \\ \hline \end{array}$

⑳ $\begin{array}{r} 37 \\ -\ \ 8 \\ \hline \end{array}$

(두 자리 수)-(한 자리 수)

공부한 날	월 일
점수	/ 20

계산해 보세요.

① $12 - 8 =$

② $24 - 7 =$

③ $21 - 4 =$

④ $35 - 9 =$

⑤ $12 - 5 =$

⑥ $60 - 5 =$

⑦ $53 - 8 =$

⑧ $75 - 6 =$

⑨ $67 - 9 =$

⑩ $92 - 8 =$

⑪ $54 - 9 =$

⑫ $32 - 7 =$

⑬ $\begin{array}{r} 20 \\ - \quad 7 \\ \hline \end{array}$

⑭ $\begin{array}{r} 36 \\ - \quad 7 \\ \hline \end{array}$

⑮ $\begin{array}{r} 97 \\ - \quad 8 \\ \hline \end{array}$

⑯ $\begin{array}{r} 86 \\ - \quad 9 \\ \hline \end{array}$

⑰ $\begin{array}{r} 52 \\ - \quad 8 \\ \hline \end{array}$

⑱ $\begin{array}{r} 45 \\ - \quad 9 \\ \hline \end{array}$

⑲ $\begin{array}{r} 14 \\ - \quad 6 \\ \hline \end{array}$

⑳ $\begin{array}{r} 23 \\ - \quad 5 \\ \hline \end{array}$

(두 자리 수)-(한 자리 수)

공부한 날	월 일
점수	/ 20

계산해 보세요.

① $41 - 4 =$

② $46 - 8 =$

③ $80 - 5 =$

④ $65 - 8 =$

⑤ $44 - 8 =$

⑥ $23 - 5 =$

⑦ $27 - 8 =$

⑧ $53 - 9 =$

⑨ $24 - 7 =$

⑩ $67 - 9 =$

⑪ $51 - 9 =$

⑫ $54 - 8 =$

⑬ $\begin{array}{r} 52 \\ -\ \ 8 \\ \hline \end{array}$

⑭ $\begin{array}{r} 95 \\ -\ \ 9 \\ \hline \end{array}$

⑮ $\begin{array}{r} 41 \\ -\ \ 9 \\ \hline \end{array}$

⑯ $\begin{array}{r} 22 \\ -\ \ 4 \\ \hline \end{array}$

⑰ $\begin{array}{r} 76 \\ -\ \ 9 \\ \hline \end{array}$

⑱ $\begin{array}{r} 56 \\ -\ \ 7 \\ \hline \end{array}$

⑲ $\begin{array}{r} 46 \\ -\ \ 8 \\ \hline \end{array}$

⑳ $\begin{array}{r} 32 \\ -\ \ 3 \\ \hline \end{array}$

(두 자리 수)-(한 자리 수)

공부한 날	월 일
점 수	/ 20

계산해 보세요.

① $23 - 8 =$

② $52 - 5 =$

③ $21 - 6 =$

④ $52 - 7 =$

⑤ $34 - 7 =$

⑥ $50 - 9 =$

⑦ $45 - 7 =$

⑧ $22 - 3 =$

⑨ $61 - 5 =$

⑩ $77 - 9 =$

⑪ $62 - 7 =$

⑫ $54 - 9 =$

⑬ $\begin{array}{r} 13 \\ -\ \ 5 \\ \hline \end{array}$

⑭ $\begin{array}{r} 34 \\ -\ \ 6 \\ \hline \end{array}$

⑮ $\begin{array}{r} 50 \\ -\ \ 6 \\ \hline \end{array}$

⑯ $\begin{array}{r} 37 \\ -\ \ 9 \\ \hline \end{array}$

⑰ $\begin{array}{r} 92 \\ -\ \ 4 \\ \hline \end{array}$

⑱ $\begin{array}{r} 27 \\ -\ \ 8 \\ \hline \end{array}$

⑲ $\begin{array}{r} 43 \\ -\ \ 9 \\ \hline \end{array}$

⑳ $\begin{array}{r} 63 \\ -\ \ 4 \\ \hline \end{array}$

4일 ❷

(두 자리 수)-(한 자리 수)

공부한 날	월 일
점 수	/ 20

계산해 보세요.

① $55 - 9 =$

② $22 - 8 =$

③ $33 - 6 =$

④ $24 - 5 =$

⑤ $56 - 9 =$

⑥ $47 - 9 =$

⑦ $58 - 9 =$

⑧ $52 - 4 =$

⑨ $64 - 8 =$

⑩ $42 - 7 =$

⑪ $82 - 6 =$

⑫ $94 - 7 =$

⑬ $\begin{array}{r} 73 \\ -\ \ 8 \\ \hline \end{array}$

⑭ $\begin{array}{r} 62 \\ -\ \ 9 \\ \hline \end{array}$

⑮ $\begin{array}{r} 40 \\ -\ \ 7 \\ \hline \end{array}$

⑯ $\begin{array}{r} 72 \\ -\ \ 3 \\ \hline \end{array}$

⑰ $\begin{array}{r} 27 \\ -\ \ 9 \\ \hline \end{array}$

⑱ $\begin{array}{r} 18 \\ -\ \ 9 \\ \hline \end{array}$

⑲ $\begin{array}{r} 44 \\ -\ \ 8 \\ \hline \end{array}$

⑳ $\begin{array}{r} 50 \\ -\ \ 5 \\ \hline \end{array}$

(두 자리 수)-(한 자리 수)

공부한 날	월 일
점 수	/ 20

계산해 보세요.

① 53 - 4 =

② 20 - 8 =

③ 51 - 8 =

④ 72 - 5 =

⑤ 42 - 8 =

⑥ 47 - 9 =

⑦ 25 - 7 =

⑧ 32 - 8 =

⑨ 14 - 9 =

⑩ 58 - 9 =

⑪ 15 - 6 =

⑫ 54 - 8 =

⑬ $\begin{array}{r} 38 \\ -\ \ 9 \\ \hline \end{array}$

⑭ $\begin{array}{r} 44 \\ -\ \ 6 \\ \hline \end{array}$

⑮ $\begin{array}{r} 71 \\ -\ \ 5 \\ \hline \end{array}$

⑯ $\begin{array}{r} 62 \\ -\ \ 5 \\ \hline \end{array}$

⑰ $\begin{array}{r} 65 \\ -\ \ 7 \\ \hline \end{array}$

⑱ $\begin{array}{r} 27 \\ -\ \ 8 \\ \hline \end{array}$

⑲ $\begin{array}{r} 74 \\ -\ \ 8 \\ \hline \end{array}$

⑳ $\begin{array}{r} 37 \\ -\ \ 9 \\ \hline \end{array}$

(두 자리 수)-(한 자리 수)

공부한 날	월 일
점 수	/ 20

계산해 보세요.

① $55-9=$ ② $21-5=$ ③ $53-5=$

④ $15-8=$ ⑤ $47-8=$ ⑥ $25-9=$

⑦ $34-9=$ ⑧ $25-6=$ ⑨ $23-5=$

⑩ $63-6=$ ⑪ $86-7=$ ⑫ $72-9=$

⑬ $\begin{array}{r} 22 \\ -\ \ 8 \\ \hline \end{array}$ ⑭ $\begin{array}{r} 35 \\ -\ \ 7 \\ \hline \end{array}$ ⑮ $\begin{array}{r} 47 \\ -\ \ 8 \\ \hline \end{array}$ ⑯ $\begin{array}{r} 88 \\ -\ \ 9 \\ \hline \end{array}$

⑰ $\begin{array}{r} 46 \\ -\ \ 8 \\ \hline \end{array}$ ⑱ $\begin{array}{r} 60 \\ -\ \ 1 \\ \hline \end{array}$ ⑲ $\begin{array}{r} 32 \\ -\ \ 6 \\ \hline \end{array}$ ⑳ $\begin{array}{r} 14 \\ -\ \ 8 \\ \hline \end{array}$

MEMO

11 앞의 수를 몇십과 십몇으로 갈라 뺄셈을 해 보세요.

67 - 9

50 + □ - □

50 + □ = □

12 앞의 수를 몇십몇과 십으로 갈라 뺄셈을 해 보세요.

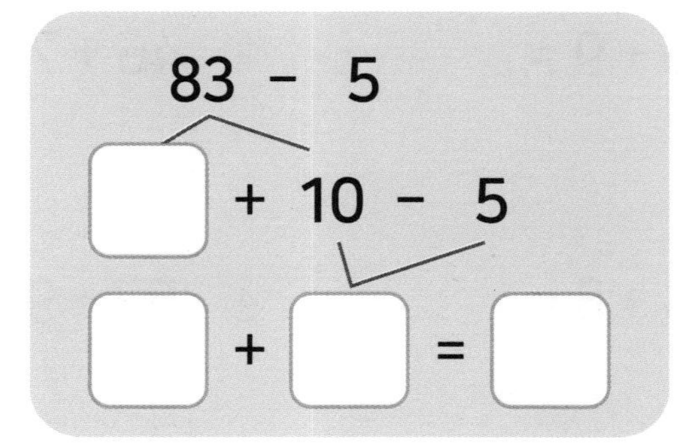

13 계산해 보세요.

① 42 - 6 = ② 31 - 4 =

③ 53 - 8 = ④ 75 - 7 =

14 세로셈으로 계산해 보세요.

① 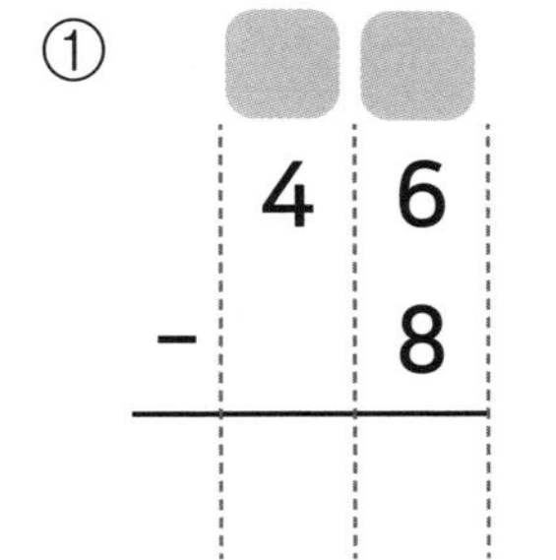

② 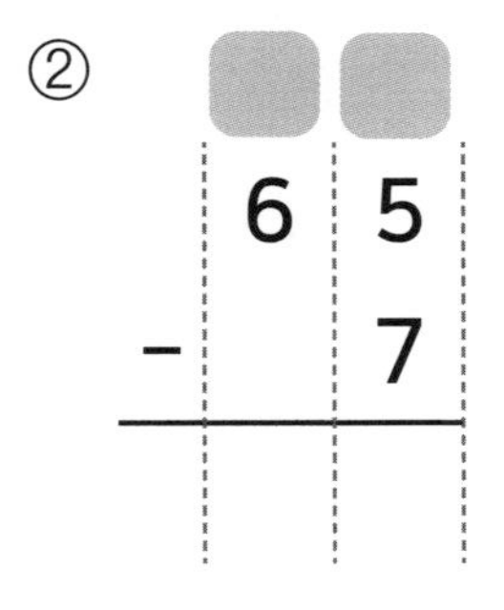

15 세로셈으로 계산해 보세요.

①
```
  5 2
-   6
-----
```

② 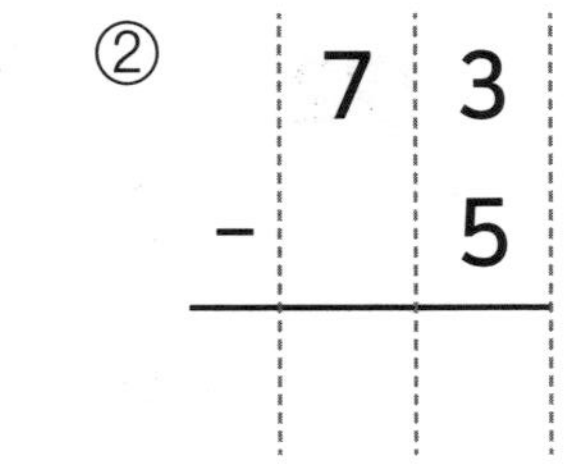

16 세로셈으로 계산해 보세요.

①
```
  9 7
-   8
-----
```

② 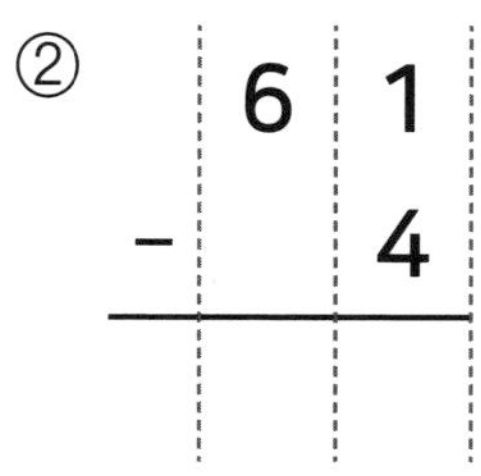

17 뒤의 수를 갈라 앞의 수를 몇십으로 만들어 뺄셈을 해 보세요.

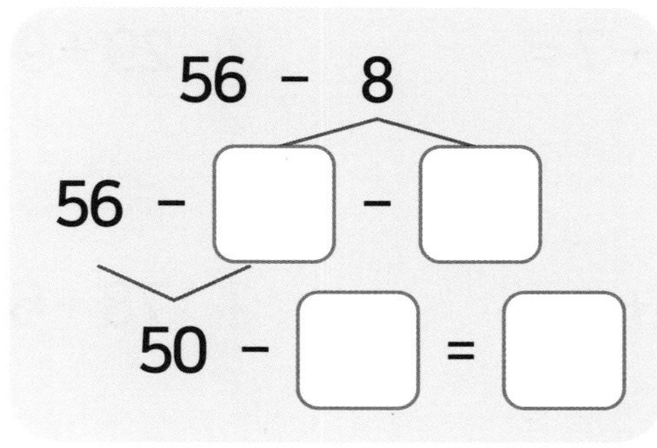

18 계산해 보세요.

① 32 - 5 = ② 56 - 8 =

③ 43 - 6 = ④ 71 - 5 =

19 ○에 이웃한 두 수의 차를 써넣으세요.

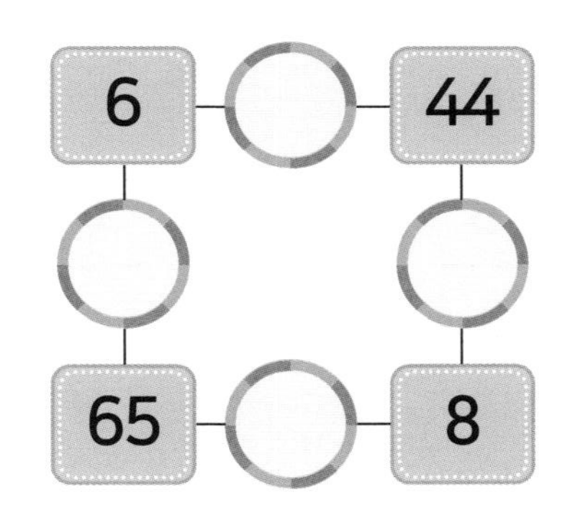

20 수정이네 반 학생은 42명인데 그 중 8명이 모자를 썼습니다. 수정이네 반에서 모자를 쓰지 않은 학생은 몇 명일까요?

식 : ____________________

답 : ________ 명

총괄 테스트

이름 점수

01 뒤의 수를 갈라 앞의 수를 몇십으로 만들어 덧셈을 해 보세요.

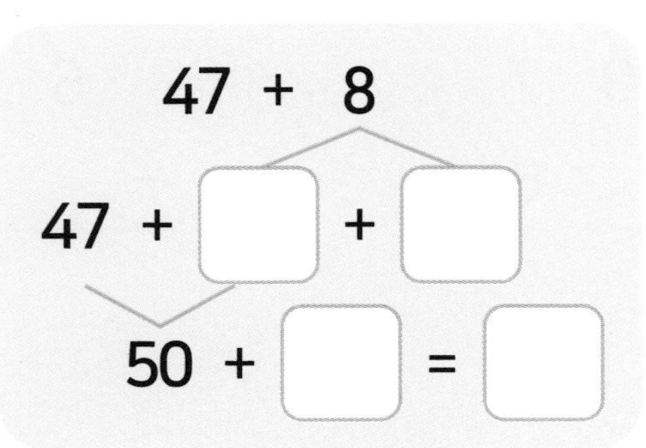

02 계산해 보세요.

① 36 + 7 =　　② 29 + 9 =

③ 57 + 4 =　　④ 78 + 6 =

03 일의 자리와 십의 자리로 나누어 세로셈으로 계산해 보세요.

① 57 + 7　　② 45 + 9

04 세로셈으로 계산해 보세요.

① 36 + 8　　② 84 + 7

05 세로셈으로 계산해 보세요.

① 55 + 6　　② 79 + 8

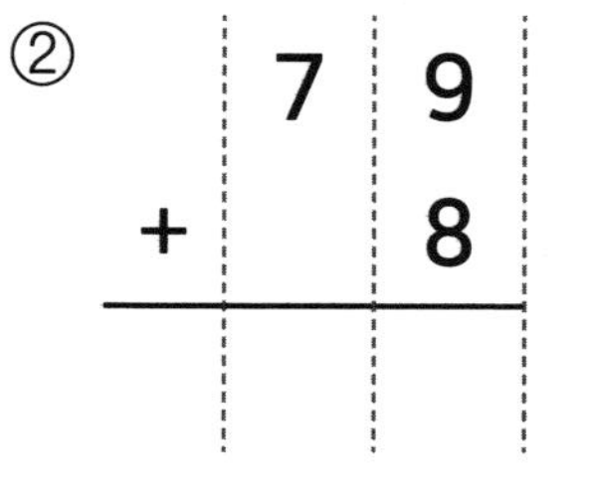

06 앞의 수를 갈라 뒤의 수를 십으로 만들어 덧셈을 해 보세요.

58 + 7
☐ + ☐ + 7
☐ + 10 = ☐

07 계산해 보세요.

① 35 + 9 =　　② 46 + 7 =

③ 73 + 8 =　　④ 57 + 9 =

08 계산해 보세요.

① 64 + 8 =　　② 37 + 9 =

③ 44 + 7 =　　④ 26 + 8 =

09 사랑이와 수진이가 줄넘기를 했는데 사랑이는 67번, 수진이는 9번을 했습니다. 두 사람이 한 줄넘기는 모두 몇 번일까요?

식 : ____________________

답 : ______ 번

10 사다리를 타면서 계산하여 빈 곳에 알맞은 수를 써넣으세요.

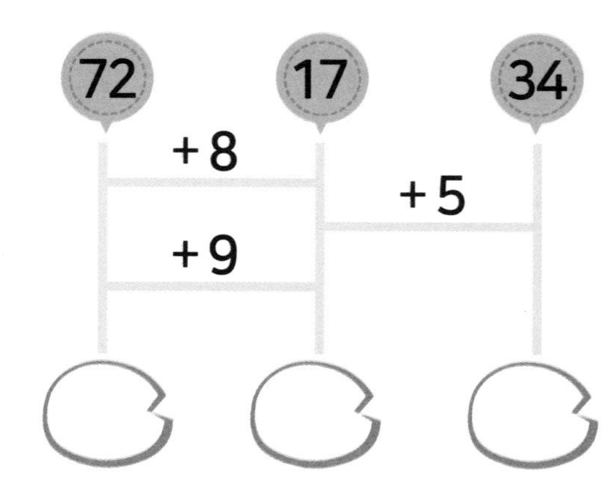

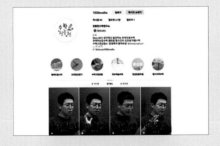

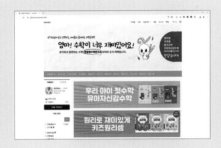

천종현수학연구소 출판 교재

01
유아 자신감 수학

썼다 지웠다 붙였다 뗐다
우리 아이의 첫 수학 교재

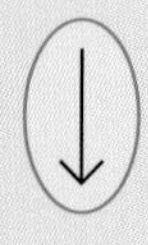

02
TOP 사고력 수학

실력도 탑! 재미도 탑!
사고력 수학의 으뜸

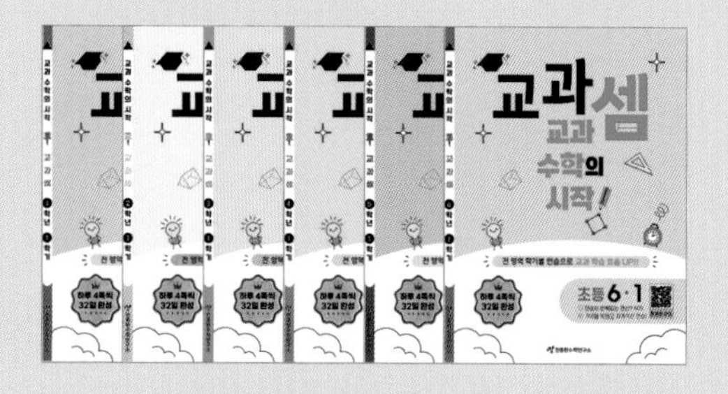

03
교과셈

사칙연산+도형, 측정, 경우의 수까지
반복 학습이 필요한 초등 연산 완성

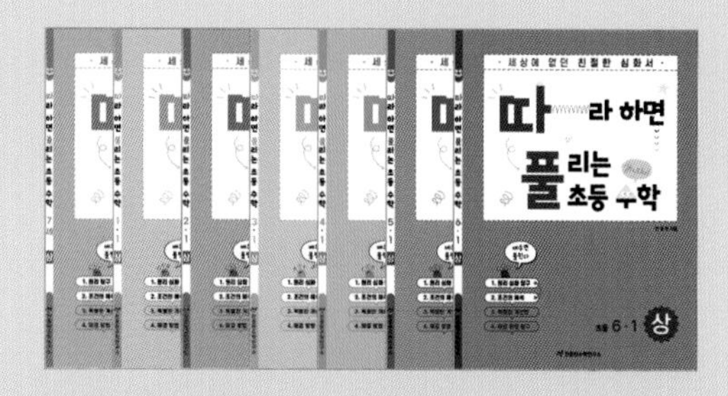

04
따풀 수학

다양한 개념과 해결 방법을 배우는
배움이 있는 학습지

05
초등 사고력 수학의 원리/전략

진정한 수학 실력은 원리의 이해와 문제 해결 전략에서
재미있게 읽는 17년 초등 사고력 수학의 노하우!!

교과 과정
완벽 대비
★★★★★

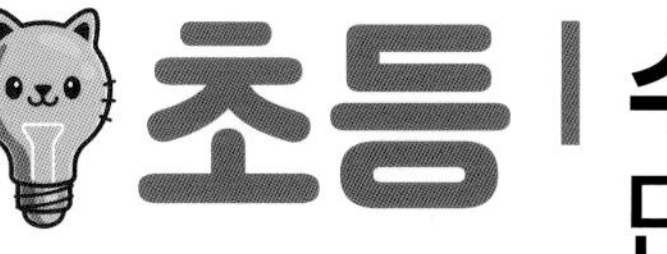

수학 전문가가
만든 연산 교재

원리셈

천종현 지음

1학년 6

(두 자리 수)±(한 자리 수)

천종현수학연구소

1주차 - 몇십 만들어 더하기

10쪽

① 50, 3, 53

② 30, 6, 36

11쪽

① 3, 4
4, 44

② 2, 2
2, 32

③ 4, 2
2, 22

④ 2, 7
7, 67

⑤ 1, 3
3, 83

12쪽

① 71 ② 45

③ 35 ④ 28

⑤ 51 ⑥ 32

⑦ 64 ⑧ 33

⑨ 41 ⑩ 86

⑪ 45 ⑫ 22

⑬ 32 ⑭ 32

⑮ 55 ⑯ 75

13쪽

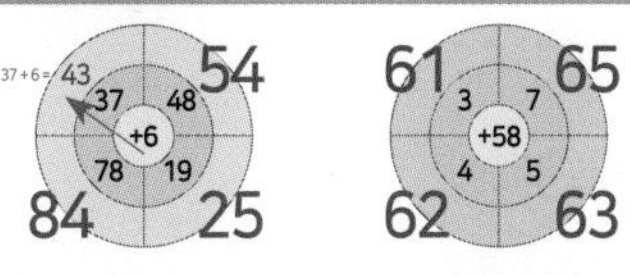

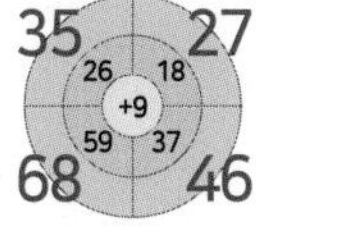

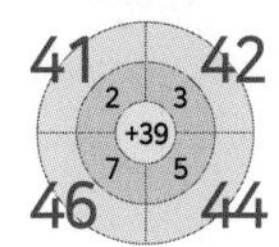

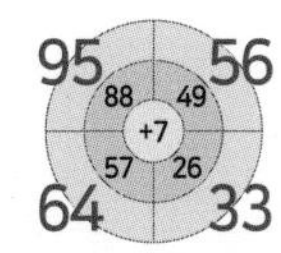

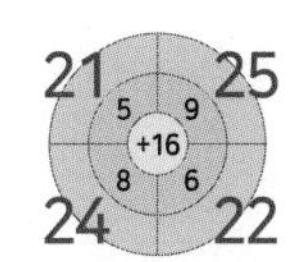

14쪽

① 62 ② 77

③ 41 ④ 81

⑤ 92 ⑥ 62

⑦ 22 ⑧ 93

⑨ 71 ⑩ 65

15쪽

① 15
30
45

② 13
20
33

③ 13
40
53

④ 16
10
26

⑤ 11
60
71

16쪽

① 32 ② 52 ③ 23 ④ 66

⑤ 73 ⑥ 45 ⑦ 82 ⑧ 26

⑨ 90 ⑩ 34 ⑪ 44 ⑫ 61

17쪽

① 45 ② 63 ③ 54

④ 22 ⑤ 71 ⑥ 83 ⑦ 95

⑧ 36 ⑨ 60 ⑩ 87 ⑪ 55

⑫ 31 ⑬ 64 ⑭ 72 ⑮ 33

18쪽

26 + 8 = 34 친

69 + 2 = 71 구

18 + 9 = 27 야

55 + 7 = 62 놀

72 + 8 = 80 자

33 + 8	59 + 4	24 + 7	35 + 9	19 + 7
41	63	31	44	26
즐	거	운	학	교

19쪽

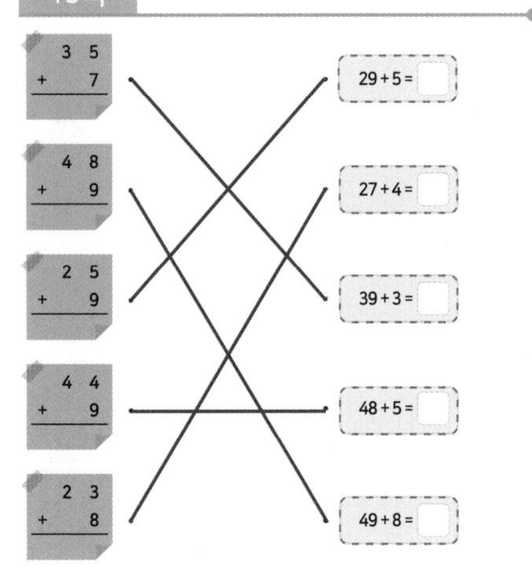

20쪽

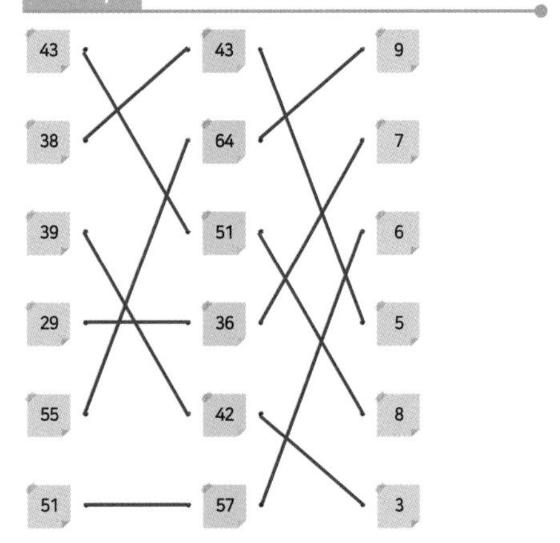

21쪽

① 14+8=22, 22

22쪽

① 17+5=22, 22

② 26+9=35, 35

23쪽

① 14+9=23, 23

② 37+8=45, 45

③ 17+8=25, 25

24쪽

① 7+45=52, 52

② 8+35=43, 43

③ 16+5=21, 21

2주차 - 10 만들어 더하기

26쪽

① 33, 10, 43

② 24, 10, 34

27쪽

① 36, 1
36, 46

② 42, 2
42, 52

③ 52, 3
52, 62

④ 25, 1
25, 35

⑤ 16, 1
16, 26

28쪽

① 94 ② 63

③ 33 ④ 25

⑤ 93 ⑥ 31

⑦ 57 ⑧ 75

⑨ 38 ⑩ 51

⑪ 26 ⑫ 47

⑬ 27 ⑭ 62

⑮ 83 ⑯ 35

29쪽

66	7	36	9	93	43	23
14	9	29	8	55	73	71
84	9	35	8	27	62	47
27	7	53	9	31	37	39
				45	34	28

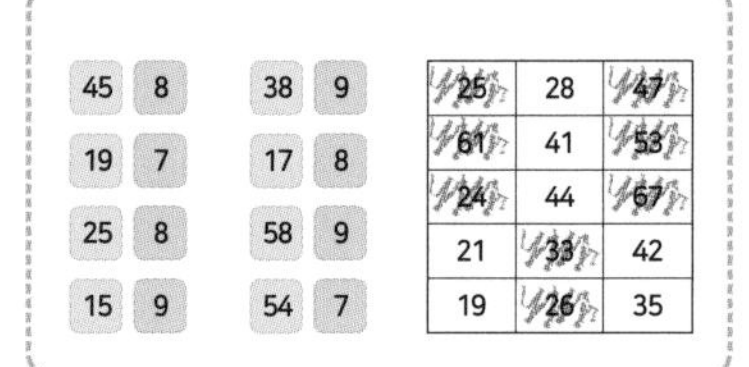

30쪽

① 54 ② 30 ③ 41

④ 32 ⑤ 24 ⑥ 82

⑦ 43 ⑧ 63 ⑨ 24

⑩ 72 ⑪ 52 ⑫ 92

31쪽

① 68, 38, 26 ② 88, 53, 54

③ 48, 33, 95 ④ 75, 41, 65

32쪽

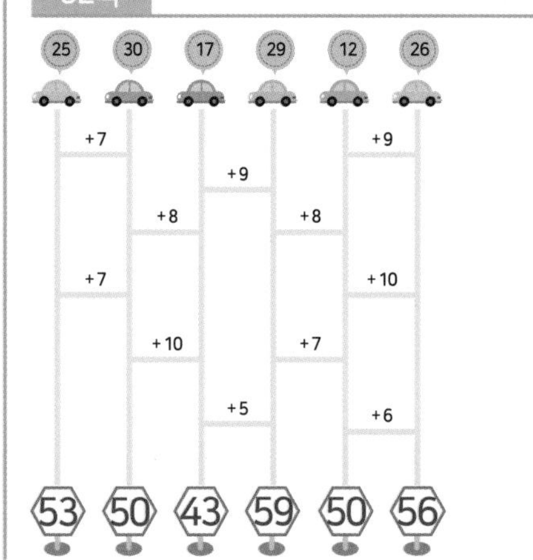

33쪽

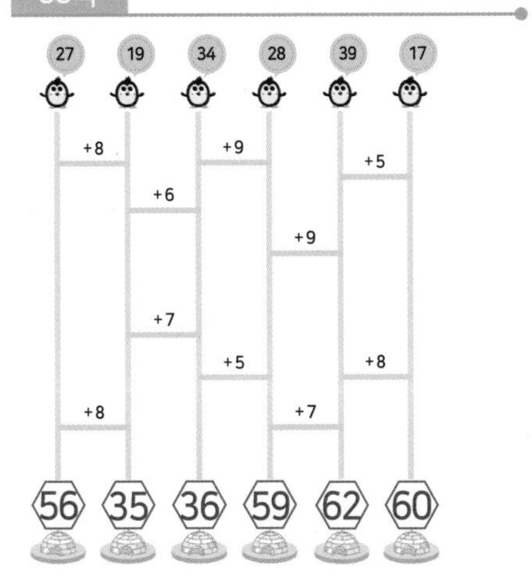

34쪽

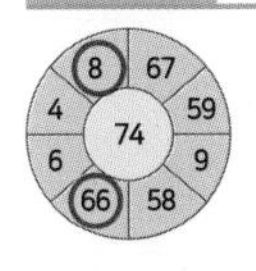
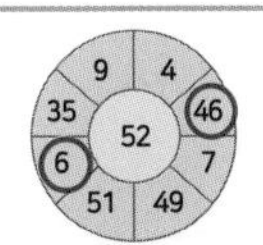
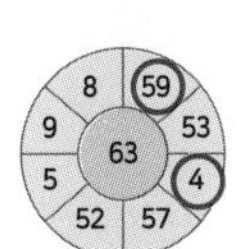
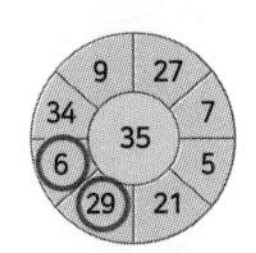
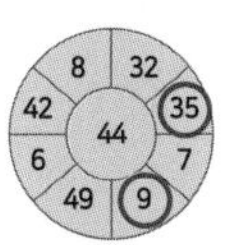
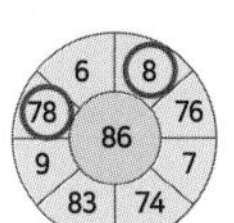

35쪽

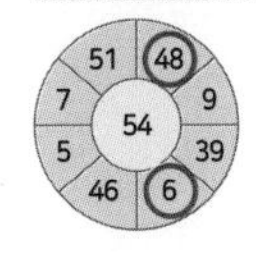
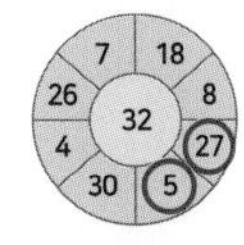
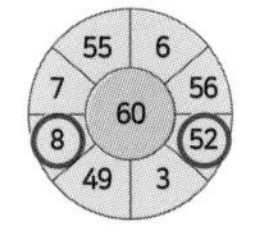
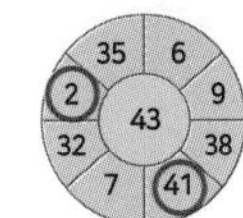
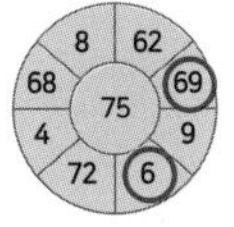
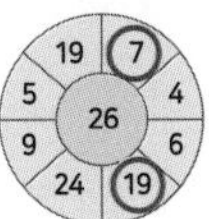

36쪽

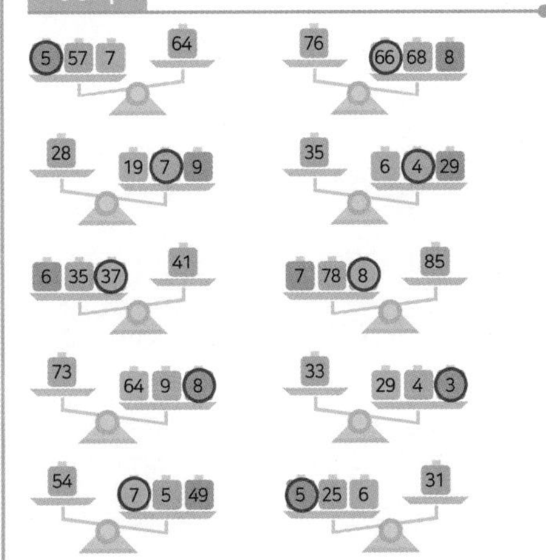

37쪽

① 6+29=35, 35

38쪽

① 16+7=23, 23

② 23+9=32, 32

39쪽

① 46+8=54, 54

② 64+7=71, 71

③ 29+3=32, 32

40쪽

① 27+6=33, 33

② 27+8=35, 35

③ 26+8=34, 34

3주차 - 도전! 계산왕

42쪽

① 51 ② 86 ③ 34
④ 22 ⑤ 86 ⑥ 93
⑦ 35 ⑧ 36 ⑨ 33
⑩ 36 ⑪ 87 ⑫ 32
⑬ 60 ⑭ 30 ⑮ 65 ⑯ 33
⑰ 22 ⑱ 71 ⑲ 52 ⑳ 61

43쪽

① 27 ② 55 ③ 83
④ 45 ⑤ 81 ⑥ 64
⑦ 83 ⑧ 71 ⑨ 28
⑩ 23 ⑪ 91 ⑫ 56
⑬ 72 ⑭ 41 ⑮ 21 ⑯ 90
⑰ 33 ⑱ 70 ⑲ 62 ⑳ 55

44쪽

① 61 ② 21 ③ 42
④ 51 ⑤ 91 ⑥ 35
⑦ 62 ⑧ 45 ⑨ 23
⑩ 54 ⑪ 53 ⑫ 91
⑬ 74 ⑭ 41 ⑮ 73 ⑯ 42
⑰ 26 ⑱ 32 ⑲ 57 ⑳ 26

45쪽

① 84 ② 65 ③ 62
④ 44 ⑤ 53 ⑥ 51
⑦ 71 ⑧ 91 ⑨ 41
⑩ 22 ⑪ 33 ⑫ 45
⑬ 20 ⑭ 25 ⑮ 34 ⑯ 32
⑰ 54 ⑱ 80 ⑲ 93 ⑳ 42

46쪽

① 41 ② 25 ③ 41
④ 47 ⑤ 54 ⑥ 71
⑦ 34 ⑧ 91 ⑨ 74
⑩ 45 ⑪ 85 ⑫ 82
⑬ 65 ⑭ 20 ⑮ 45 ⑯ 21
⑰ 42 ⑱ 81 ⑲ 32 ⑳ 52

47쪽

① 62 ② 71 ③ 23
④ 84 ⑤ 25 ⑥ 51
⑦ 22 ⑧ 91 ⑨ 72
⑩ 45 ⑪ 83 ⑫ 91
⑬ 94 ⑭ 33 ⑮ 63 ⑯ 50
⑰ 60 ⑱ 42 ⑲ 81 ⑳ 52

48쪽

① 31 ② 44 ③ 95
④ 85 ⑤ 71 ⑥ 61
⑦ 42 ⑧ 91 ⑨ 33
⑩ 71 ⑪ 44 ⑫ 82
⑬ 30 ⑭ 40 ⑮ 56 ⑯ 42
⑰ 46 ⑱ 35 ⑲ 71 ⑳ 51

49쪽

① 64 ② 72 ③ 81
④ 33 ⑤ 51 ⑥ 51
⑦ 38 ⑧ 41 ⑨ 53
⑩ 63 ⑪ 85 ⑫ 23
⑬ 81 ⑭ 42 ⑮ 63 ⑯ 76
⑰ 64 ⑱ 63 ⑲ 32 ⑳ 28

50쪽

① 21 ② 61 ③ 44
④ 52 ⑤ 96 ⑥ 21
⑦ 71 ⑧ 35 ⑨ 42
⑩ 93 ⑪ 42 ⑫ 81
⑬ 62 ⑭ 23 ⑮ 43 ⑯ 84
⑰ 73 ⑱ 61 ⑲ 60 ⑳ 55

51쪽

① 24 ② 63 ③ 92
④ 41 ⑤ 71 ⑥ 63
⑦ 67 ⑧ 32 ⑨ 71
⑩ 91 ⑪ 51 ⑫ 96
⑬ 25 ⑭ 43 ⑮ 35 ⑯ 90
⑰ 66 ⑱ 85 ⑲ 74 ⑳ 40

4주차 - 십몇에서 빼기

54쪽

① 20, 16, 9, 27
② 10, 12, 8, 14

55쪽

① 13, 7
6, 56
② 14, 8
6, 76
③ 11, 6
5, 25
④ 14, 5
9, 49
⑤ 10, 1
9, 49

56쪽

① 36 ② 46
③ 17 ④ 28
⑤ 25 ⑥ 72
⑦ 46 ⑧ 23
⑨ 66 ⑩ 69
⑪ 69 ⑫ 39
⑬ 34 ⑭ 19
⑮ 15 ⑯ 78

57쪽

① 24, 10, 9, 25

② 33, 10, 6, 37

58쪽

① 52
52, 5, 57

② 64
64, 4, 68

③ 41
41, 5, 46

④ 36
36, 2, 38

⑤ 14
14, 3, 17

59쪽

① 58 ② 24

③ 48 ④ 19

⑤ 89 ⑥ 39

⑦ 19 ⑧ 78

⑨ 13 ⑩ 68

⑪ 67 ⑫ 68

⑬ 56 ⑭ 69

⑮ 78 ⑯ 35

60쪽

① 56, 50, 6

② 47, 40, 7 ③ 36, 30, 6

④ 28, 20, 8 ⑤ 18, 10, 8

⑥ 68, 60, 8 ⑦ 39, 30, 9

61쪽

① 38, 33, 5

② 59, 53, 6 ③ 36, 35, 1

④ 57, 52, 5 ⑤ 17, 11, 6

⑥ 44, 41, 3 ⑦ 38, 36, 2

62쪽

① 1, 10
18

② 2, 10
27

③ 4, 10
49

④ 4, 10
46

⑤ 1, 10
14

⑥ 3, 10
38

⑦ 7, 10
73

⑧ 1, 10
19

⑨ 1, 10
18

⑩ 5, 10
57

⑪ 2, 10
26

⑫ 7, 10
76

63쪽

9 6 3 19
15 9 22
24 31
55

18 5 3 32
23 8 35
31 43
74

30 4 4 9
34 8 13
42 21
63

19 2 7 46
21 9 53
30 62
92

64쪽

① 56 ② 36

③ 47 ④ 29

⑤ 19 ⑥ 37

⑦ 48 ⑧ 67

⑨ 16 ⑩ 36

65쪽

① 21-7=14, 14

66쪽

① 28-9=19, 19

② 22-7=15, 15

67쪽

① 31-7=24, 24

② 26-8=18, 18

③ 76-8=68, 68

68쪽

① 43-8=35, 35

② 22-9=13, 13

③ 84-8=76, 76

5주차 - 몇십 만들어 빼기

70쪽

① 5, 4, 36

② 4, 3, 27

71쪽

① 5, 2
2, 38

② 3, 3
3, 47

③ 7, 2
2, 18

④ 5, 3
3, 47

⑤ 6, 3
3, 17

72쪽

① 37 ② 48

③ 59 ④ 18

⑤ 29 ⑥ 83

⑦ 49 ⑧ 28

⑨ 68 ⑩ 57

⑪ 36 ⑫ 38

⑬ 17 ⑭ 56

⑮ 69 ⑯ 29

73쪽

① 58 ② 23

③ 67 ④ 35 ⑤ 26

⑥ 87 ⑦ 77 ⑧ 67

⑨ 56 ⑩ 18 ⑪ 48

74쪽

46 38 8
37 69
9 68 77

53 47 6
46 58
7 57 64

5 18 23
67 19
72 68 4

5 28 33
49 26
54 47 7

64 59 5
56 77
8 74 82

92 87 5
89 36
3 38 41

75쪽

① 35, 73, 23 ② 47, 75, 45

③ 19, 6, 73 ④ 50, 18, 41

76쪽

67 86 63 74 51 92

-8 -5 -4 -9 -8 -6 -9 -5 -6 -4 -8

54 45 28 63 33 66

77쪽

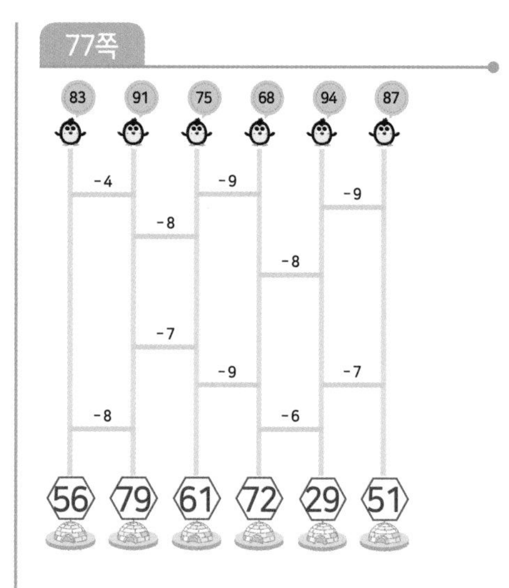

78쪽

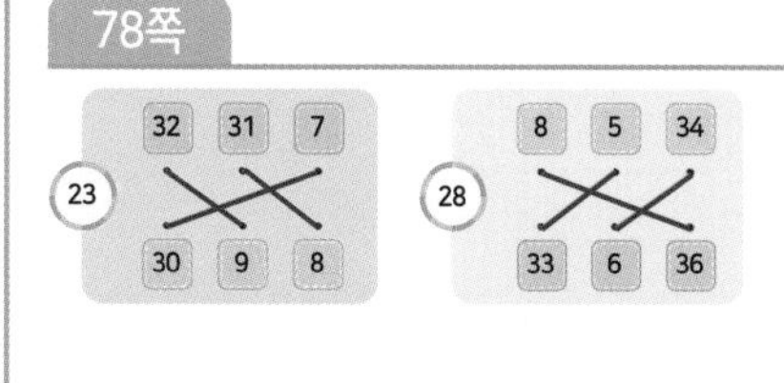

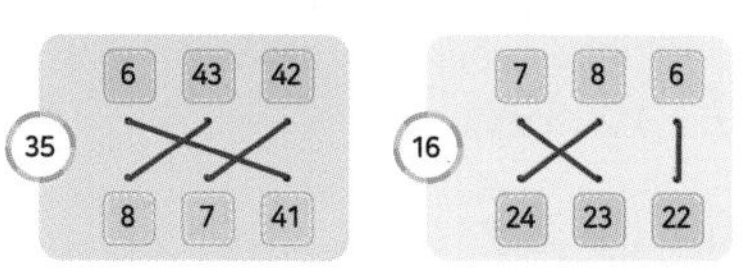

79쪽

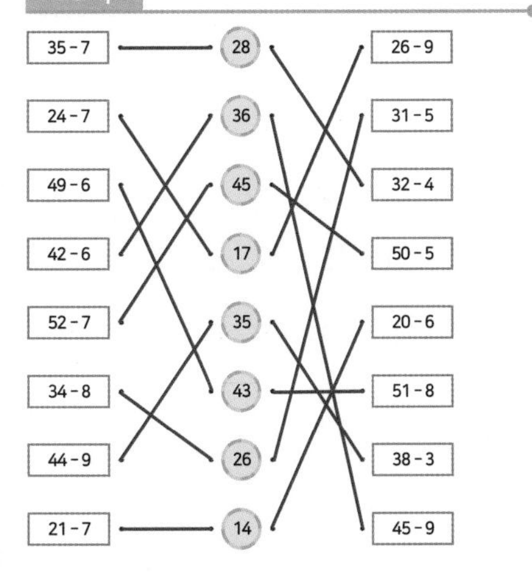

80쪽

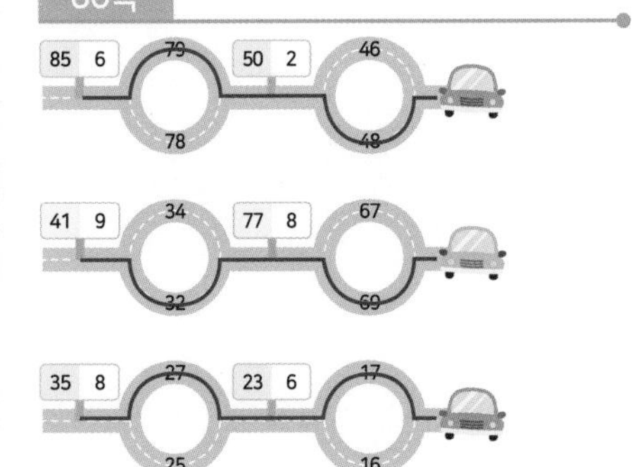

81쪽

① 24-5=19, 19

82쪽

① 33-4=29, 29

② 20-2=18, 18

83쪽

① 31-9=22, 22

② 53-8=45, 45

③ 23-5=18, 18

84쪽

① 40-8=32, 32

② 35-9=26,26

③ 22-5=17, 17

6주차 - 도전! 계산왕

86쪽

① 47 ② 19 ③ 25

④ 15 ⑤ 52 ⑥ 33

⑦ 57 ⑧ 7 ⑨ 18

⑩ 23 ⑪ 45 ⑫ 68

⑬ 19 ⑭ 13 ⑮ 58 ⑯ 88

⑰ 43 ⑱ 48 ⑲ 9 ⑳ 15

87쪽

① 9 ② 34 ③ 49

④ 18 ⑤ 33 ⑥ 6

⑦ 24 ⑧ 56 ⑨ 15

⑩ 5 ⑪ 17 ⑫ 25

⑬ 32 ⑭ 67 ⑮ 75 ⑯ 49

⑰ 26 ⑱ 89 ⑲ 85 ⑳ 16

88쪽

① 18 ② 52 ③ 16

④ 54 ⑤ 23 ⑥ 58

⑦ 16 ⑧ 36 ⑨ 8

⑩ 12 ⑪ 15 ⑫ 45

⑬ 39 ⑭ 78 ⑮ 47 ⑯ 52

⑰ 68 ⑱ 49 ⑲ 18 ⑳ 29

89쪽

① 67 ② 49 ③ 18
④ 53 ⑤ 17 ⑥ 8
⑦ 36 ⑧ 17 ⑨ 25
⑩ 16 ⑪ 26 ⑫ 66
⑬ 17 ⑭ 6 ⑮ 68 ⑯ 48
⑰ 79 ⑱ 56 ⑲ 36 ⑳ 29

90쪽

① 4 ② 17 ③ 17
④ 26 ⑤ 7 ⑥ 55
⑦ 45 ⑧ 69 ⑨ 58
⑩ 84 ⑪ 45 ⑫ 25
⑬ 13 ⑭ 29 ⑮ 89 ⑯ 77
⑰ 44 ⑱ 36 ⑲ 8 ⑳ 18

91쪽

① 37 ② 38 ③ 75
④ 57 ⑤ 36 ⑥ 18
⑦ 19 ⑧ 44 ⑨ 17
⑩ 58 ⑪ 42 ⑫ 46
⑬ 44 ⑭ 86 ⑮ 32 ⑯ 18
⑰ 67 ⑱ 49 ⑲ 38 ⑳ 29

92쪽

① 15 ② 47 ③ 15
④ 45 ⑤ 27 ⑥ 41
⑦ 38 ⑧ 19 ⑨ 56
⑩ 68 ⑪ 55 ⑫ 45
⑬ 8 ⑭ 28 ⑮ 44 ⑯ 28
⑰ 88 ⑱ 19 ⑲ 34 ⑳ 59

93쪽

① 46 ② 14 ③ 27
④ 19 ⑤ 47 ⑥ 38
⑦ 49 ⑧ 48 ⑨ 56
⑩ 35 ⑪ 76 ⑫ 87
⑬ 65 ⑭ 53 ⑮ 33 ⑯ 69
⑰ 18 ⑱ 9 ⑲ 36 ⑳ 45

94쪽

① 49 ② 12 ③ 43
④ 67 ⑤ 34 ⑥ 38
⑦ 18 ⑧ 24 ⑨ 5
⑩ 49 ⑪ 9 ⑫ 46
⑬ 29 ⑭ 38 ⑮ 66 ⑯ 57
⑰ 58 ⑱ 19 ⑲ 66 ⑳ 28

95쪽

① 46 ② 16 ③ 48
④ 7 ⑤ 39 ⑥ 16
⑦ 25 ⑧ 19 ⑨ 18
⑩ 57 ⑪ 79 ⑫ 63
⑬ 14 ⑭ 28 ⑮ 39 ⑯ 79
⑰ 38 ⑱ 59 ⑲ 26 ⑳ 6

총괄 테스트 정답

초등 원리셈 1학년 6권 (두 자리 수)±(한 자리 수)

총괄 테스트

이름 점수

01 뒤의 수를 갈라 앞의 수를 몇십으로 만들어 덧셈을 해 보세요.

47 + 8
47 + 3 + 5
50 + 5 = 55

02 계산해 보세요.

① 36 + 7 = 43 ② 29 + 9 = 38

③ 57 + 4 = 61 ④ 78 + 6 = 84

03 일의 자리와 십의 자리로 나누어 세로셈으로 계산해 보세요.

① 57 + 7: 14, 50, 64

② 45 + 9: 14, 40, 54

04 세로셈으로 계산해 보세요.

① 36 + 8 = 44 ② 84 + 7 = 91

05 세로셈으로 계산해 보세요.

① 55 + 6 = 61 ② 79 + 8 = 87

06 앞의 수를 갈라 뒤의 수를 십으로 만들어 덧셈을 해 보세요.

58 + 7
55 + 3 + 7
55 + 10 = 65

07 계산해 보세요.

① 35 + 9 = 44 ② 46 + 7 = 53

③ 73 + 8 = 81 ④ 57 + 9 = 66

08 계산해 보세요.

① 64 + 8 = 72 ② 37 + 9 = 46

③ 44 + 7 = 51 ④ 26 + 8 = 34

09 사랑이와 수진이가 줄넘기를 했는데 사랑이는 67번, 수진이는 9번을 했습니다. 두 사람이 한 줄넘기는 모두 몇 번일까요?

식: 67 + 9 = 76

답: 76 번

10 사다리를 타면서 계산하여 빈 곳에 알맞은 수를 써넣으세요.

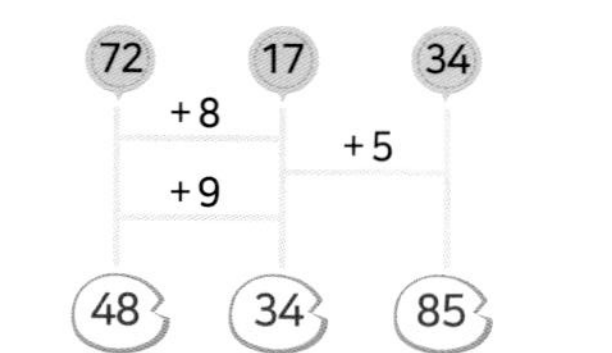

11 앞의 수를 몇십과 십몇으로 갈라 뺄셈을 해 보세요.

67 − 9
50 + 17 − 9
50 + 8 = 58

12 앞의 수를 몇십몇과 십으로 갈라 뺄셈을 해 보세요.

83 − 5
73 + 10 − 5
73 + 5 = 78

13 계산해 보세요.

① 42 − 6 = 36 ② 31 − 4 = 27

③ 53 − 8 = 45 ④ 75 − 7 = 68

14 세로셈으로 계산해 보세요.

① (3 10) 46 − 8 = 38 ② (5 10) 65 − 7 = 58

15 세로셈으로 계산해 보세요.

① 52 − 6 = 46 ② 73 − 5 = 68

16 세로셈으로 계산해 보세요.

① 97 − 8 = 89 ② 61 − 4 = 57

17 뒤의 수를 갈라 앞의 수를 몇십으로 만들어 뺄셈을 해 보세요.

56 − 8
56 − 6 − 2
50 − 2 = 48

18 계산해 보세요.

① 32 − 5 = 27 ② 56 − 8 = 48

③ 43 − 6 = 37 ④ 71 − 5 = 66

19 ○에 이웃한 두 수의 차를 써넣으세요.

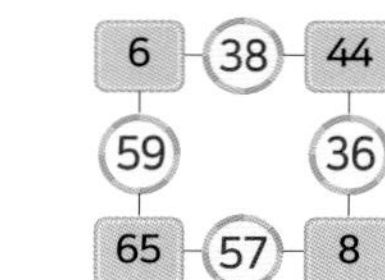

20 수정이네 반 학생은 42명인데 그 중 8명이 모자를 썼습니다. 수정이네 반에서 모자를 쓰지 않은 학생은 몇 명일까요?

식: 42 − 8 = 34

답: 34 명

원리 이해

다양한 계산 방법

충분한 연습

성취도 확인

마술 같은 논리 수학 매직

전 영역에 걸쳐 균형 있는 논리력, 문제해결력 기르기

생각하고 발견하는 수학 로지카

최고 수준 학습을 위한 사고력, 문제해결력 기르기

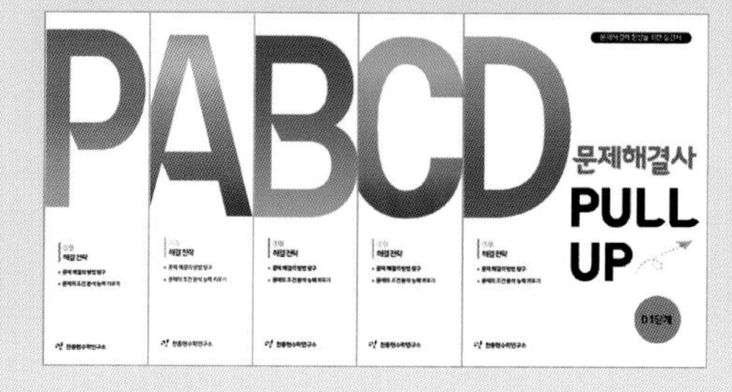

문제해결력 향상을 위한 실전서
문제해결사 PULL UP

학년별 실전 고난도 문제해결을 위한 브릿지 학습

천종현수학연구소의 학원 프로그램, **로지카 아카데미**

"수학으로 세상을 다르게 보는 아이로!"
"생각하고 발견하는 수학, **로지카 아카데미**에서 시작하세요."

20년 차 수학교육전문가 천종현 소장과 함께 생각하는 힘을 기를 수 있는 곳, 로지카 아카데미입니다. 생각하고 발견하는 수학을 통해 아이들은 새로운 세상을 만나게 될 것입니다. 오늘부터 아이의 수학 여정을 로지카 아카데미와 함께하세요.

▶ ▷ ▷ ▷ **로지카 아카데미** www.logicaedu.kr

천종현수학연구소의 교재 흐름도

	4세	5세	6세	7세	초 1
출판 교재					
유자수 · 탑사고력	유아 지신강 수학 3-1 만 3세	유아 지신강 수학 4-1 만 4세	유아 지신강 수학 5-1 만 5세	TOP 사고력 수학 K6 K단계	TOP 사고력 수학 P6 P단계
원리셈		원리셈 5·6세 1권 5, 6세	원리셈 6·7세 1권 6, 7세	원리셈 7·8세 1권 7, 8세	원리셈 1학년 1 초등 1
교과셈					교과셈 교과 수학의 시작! 초등 1·1 초등 1
따풀				따라 하면 풀리는 초등 수학 7세 상 7세	따라 하면 풀리는 초등 수학 초등 1-1 상 초등 1
학원 교재					
매직 · 로지카			K1 Math Logic K단계	P1 Math Logic P단계	A1 Math Logic A단계
풀업				P 문제해결사 PULL UP P단계	A 문제해결사 PULL UP A단계